操られる民主主義

デジタル・テクノロジーはいかにして社会を破壊するか

ジェイミー・バートレット

秋山 勝＝訳

草思社文庫

操られる民主主義

デジタル・テクノロジーはいかにして社会を破壊するか

◉目次

操られる民主主義

デジタル・テクノロジーはいかにして社会を破壊するか

ＴＫへ――

イントロダクション　テクノロジーが社会を破壊する？

これから数年のうちで、私たちが知る民主主義と社会秩序はテクノロジーによって破壊されてしまうのだろうか、それとも逆に政治がデジタル世界を従えていくのだろうか。いまのところテクノロジーがこの戦いを制しつつあるのは、日を追うごとに明らかになろうとしている。足腰が衰え、弱体化した政治はテクノロジーに押しつぶされようとしている。

なぜ、こんな事態に陥ってしまったのか、そして、この流れはどうやって変えることができるのか、本書に書かれているのはその点だ。

断るまでもないが、本音でいう「テクノロジー」とは、あらゆる意味でのテクノロジーではない。「テクノロジー」という言葉は、二語のギリシャ語、つまり「技巧」を意味する「テクネ」と「研究」を意味する「ロゴス」から成り立っている。同じように「民主主義」もまた、「デモス（民衆）」と「クラトス（権力）」の二語からできている。単に「テクノロジー」と言ってしまうと、現代社会のすべての技術を残らず意味してしまうことになる。

本書で言及されているテクノロジーは、旋盤でもなければ、力織機でもない。自動車やMRIでもなければ、F-16ファイティング・ファルコンでもないのだ。本書で語られている「テクノロジー」とは、シリコンバレーと関連するデジタル・テクノロジー、つまりソーシャルメディアのプラットフォーム、ビッグデータ、モバイルテクノロジー、人工知能（AI）であり、経済、政治、社会生活など、あらゆる面で急速に君臨しつつあるデジタル・テクノロジーのことなのである。

このようなテクノロジーのおかげで、情報量は増え、生活はますます豊かになり、人間はさらに幸せになれたのは言うまでもない。あれこれ言いながら、テクノロジーは人類の能力を拡張し、新たな可能性を生み出し、生産性を向上させていく。とはいえ、民主主義にとってそれは、かならずしもよいものとはいえなかった。

テクノロジーが進歩した結果、まぎれもない恩恵とこれまで以上の個人の自由が得られた。だが、それと引き換えに、政治システムを機能させる根源的な要素の多くが蝕《むしば》まれていくのを私たちは許してしまった。その要素とは、政府の支配力、議会主権、経済的平等、市民社会、正しい情報を判断できる市民の存在である。

テクノロジー革命はまさに始まったばかりだ。これから説明するように、今後数年のうちにデジタル・テクノロジーはさらに劇的な進化を遂げていくだろう。これまでの進化のペースを踏まえれば、一世代もしくは二世代のうちに、民主主義とテクノロジーの矛盾など、もはや誰も気にしなくなってしまうのかもしれない。

テクノロジーは自由をもたらしたのか？

おかしな話だが、ほぼすべての人が価値を認めると言う理念であるはずなのに、民主主義の正しい意味は誰にも共有されていない。民主主義の本当の意味は「天国のどこかにしまいこまれている」と、イギリスの政治理論学者バーナード・クリックはかつて評したことがある。簡単に言えば、民主主義とは、私たちが自らを支配する原理と、国民に由来する主権を認める一連の制度のことである。

民主主義がどう機能しているのかは、厳密には国ごとで異なり、歴史とともに変わってきた。ひと言で言うなら、もっとも広範に行われ、支持されている民主主義とは、「現代の自由な間接民主主義」である。これ以降、本書で「民主主義」という場合、私はこの意味（と成熟した西欧民主主義）を念頭に置いている（この定義を超えた話になると、テーマはまったく違ってくる）。

こうした民主主義の典型は、選挙で選ばれた国民の代表が、国民の利益に基づいて判断をくだすという形態だ。そして、制度全体を機能させるため、連動する一連の公共機関が用意されている。さらに、定期的に実施される選挙、健全な市民社会、しかるべき個人の権利、きちんと組織化された政党、効率的な官僚制度、自由で注意深いメディアの存在などがこの制度には伴っている。

ただ、これだけでは十分とは言えない。民主主義には、この制度に積極的にかかわろうという意志をもつ国民の存在がどうしても欠かせないのだ。そしてその国民は、分散された権力、権利、妥協、正しい情報に基づく議論など、さらに広い範囲に及ぶ民主主義の理念に信頼を寄せている。現代の安定した民主主義からはいずれも、以上のような特徴がおおむねうかがえる。

本書は、クールなテクノ業界の人間のふりをした、強欲な資本家について書き連ねた不平の物語でもなければ、欲まみれの多国籍企業をめぐる倫理の物語でもない。民主主義は過去何十年にもわたり、こうした者たちを何度も撃退してきた。また、課税は最小限と言う一方で、国民の権限を高めよと言い張ることは、確かに矛盾しているだろうが、かならずしも国民の不誠実ぶりを示している事実とは限らない。

テクノロジーも、一見すれば民主主義には恩寵だ。人間の自主性の領域を拡大し、向上させていることにまちがいはないだろう。社会のなかで、これまで無名だった集団にプラットフォームを授け、知識をプールし、行動を調整してまとめる方法を生み出してきた。これらは健全な民主主義社会のもうひとつの面でもある。

しかし、テクノロジーと民主主義――いずれも壮大なシステムではあるが、根っこのレベルではやはり水と油の関係にある。両者はまったく異なる時代の産物で、それぞれ独自のルールと原理に基づいて機能している。民主主義は、国民国家や階級社会が整いつつ、社会への恭順が生まれ、経済が工業化された時代に制度化されてきた。だが、デジタル・テクノロジーの基本的な特徴は、地理的な広がりとは無縁で、むしろ分散的であり、データに基づいて駆動し、ネットワーク外部性の影響下に置かれ、指数関数的な成長を遂げる。

はっきり言おう。つまり、民主主義はテクノロジーに合わせて設計はされていないのだ。これは誰の落ち度でもない。フェイスブックのマーク・ザッカーバーグのせいでもない。

こう考えるのは私一人ではない。創生期のデジタル・テクノロジーの開拓にかかわってきた多くの者たちもまた、自分たちが〝サイバースペース〟と呼ぶものが物質世界とそぐわないと考えていた。よく引き合いに出されるのが、ジョン・ペリー・バーロウの「サイバースペース独立宣言」（一九九六年）で、このぎくしゃくとした関係をかなりうまく表現している。

「しろしめす民の意を得てこそ、政府はおのが権力を引き出せる。あなた方は、私たちに求めたこともなく、私たちを受け入れたこともない。私たちはあなた方を招いたことはない。あなた方は私たちを知らないし、私たちの世界を知らない。（略）あなた方の法概念、つまり財産、表現、帰属、移動、身分に関する概念は私たちには適用できるものではないのだ。それらの法概念はすべてモノという実体に基づいている。だが、ここには手に触れられる物質は存在していない」

束縛からの解放を唱えたなんとも胸躍る宣言だ。この自由は、「デジタル心酔者の心をいまもとらえて放さないインターネットによって授けられた。だが、民主主義がいまも基盤としているのは財産、表現、帰属、移動、身分に加え、手で触れることができる物質《マター》なのだ。そして、シリコンバレーのテクノロジー企業をひと皮むけば、コネクティビティー（つながることができる）、ネットワーク、グローバル化したコミュニティーについて、彼らがどんな信仰を抱いているのかを探ってみることで、反民主主義への衝動がいまも脈々と息づいているのがわかるはずである。

人間にかわって意思決定をするもの

以下の各章では、民主主義を機能させている、六本の主だった柱について話を進めていくことにする。こうすることで抽象的な理念にとどまらず、人々が信頼を寄せ、支持する共同の自治に関する実際的な制度にも言及できる。六本の柱は次の通りだ。

行動的な市民　主体的で、警戒を怠らない市民。重要な倫理的判断をくだせる能力がある

民主主義の文化の共有　一般に認知されている現実、共有されているアイデンティティー、妥協の精神に基づいた民主的な文化

自由な選挙の維持　公平で自由、しかも信頼できる選挙制度

平等性の確保　相当数の中流層を含め、自助努力で確保できる平等性

競争経済と市民の自由　競争経済と干渉を受けない市民社会

政府に対する信頼　政府は国民の意思を遂行するが、国民の信頼を裏切ってはならず、国民に対して説明責任がある

以上の柱について各章で検証しよう。そして、六本の柱がなぜ、どのように脅かされているのかを説明していく。場合によっては、テクノロジーの包囲攻撃にすでにさらされている事例もある。また、攻撃はいましばらく先のように見えるが、間もなく本格化するのは必至という事例もある。

ＡＩとロボット技術が結合したスマートマシンの興隆で、人間の倫理的判断能力が矮小化され、前近代的な部族政治がふたたび姿を現すのだろうか。それとも、休息を必要とする人間の労働が、超効率的なロボットに置き換えられることで大量失業が生じるのか。

どちらにせよ、民主主義はあらゆる面で脅威にさらされ、すでにおなじみとなった脅威も存在する。また、見慣れない姿をまとっていても、怒りの政治、失業問題、市民の無関心はとりたてて新しい問題というわけではない。しかし、これから現れてくるのはまったく見たこともない脅威なのである。

スマートマシンが人間の意思決定に置きかわり、私たちには完全に理解できそうにない手段による政治的選択に変貌する。不可視のアルゴリズムが、目には見えない権力や不正の源泉を新たに生み出していく。世界がますます結びついていくにしたがって、少数の悪党でも大規模なダメージや危害を引き起こすことが容易になるはずだし、時には司直の及ぶ範疇を超えてしまうケースも少なくないだろう。こうした問題にどう対処すればいいのか、私たちにはその手がかりさえない。

　このまま進行した場合、状況がどう展開するのか、第6章ではそれを予想した。ファシズムが台頭した一九三〇年代をふたたび目にしたいと望む者はいない。誰もがよくそんな譬え方を口にする。だが、これまでにない、思いもしない形で民主主義は破綻を迎えるだろうと私は考えている。迫りつつある恐怖のディストピアは、〝進歩的な〟エリートではあるが独裁的な高級官僚とスマートマシンに牛耳られた薄っぺらな民主主義が支配する世界だ。そして、救いようがないのは、多くの人々がこちらの民主主義のほうを選ぶ点である。おそらく、いまある民主主義にまさる繁栄と安全を提供できるからなのだろう。

　だからといって、ただちに機械の打ち壊しなど始める必要はない。ひとつには、民主主義諸国とロシアや中国とのあいだで、現在、テクノロジーの争奪戦が繰り広げられているからである。民主主義国にとっては、この競争に勝利することが先決なのだ。そして、民主主義のもとでなら、テクノロジー革命は数えきれないほど前向きな形で、社会のあり方を変えることができるのだ。

　しかしその場合、テクノロジーと民主主義の双方に、劇的な変化が求められてくるだろう。AIがくまなくゆきわたり、ビッグデータとデジタル化された公共領域の時代を生き抜いていくうえで、民主主義は言うまでもなく、なにより私たち一人ひとりがどのように変わっていかなくてはならないのか。本書の最後では、それに関する二〇の提言を記した。

民主主義はデジタルではなくアナログである

ここまでお読みになり、私のことを偽善者に違いないと思われている方もいるだろう。デジタルの功罪を説きながら、お前はノートパソコンで原稿を書き、調査のためにグーグルで検索をしているのだろう。ツイートして本の販売を広め、アマゾンで大いに売れることを望んでいるに違いない。

そう、まったく仰せの通りだ。私も大勢の人たちと同じように、これから書き進めるテクノロジーを頼みにしているし、気にも入っているが、同時に心の底から嫌悪している。

この一〇年、私はデモス（Demos）というイギリスでも有数のシンクタンクで働いてきた。テクノロジーと政治の研究では最先端の職場だ。二〇〇八年以降、どうしようもないほど疲弊した政治システムに、デジタル・テクノロジーがどのようにして新しい命の息吹を吹き込むのか、私はそれに関する記事を書いてきた。そして、私が抱いていた当初の楽観主義は年とともに現実主義へ横滑りし、やがて居心地の悪さへと変わっていった。いまではいささかパニック状態に陥りつつある。

いまもなお、テクノロジーは政治のよき力となりうるもので、巨大テクノロジー企業の多くも同じ願いを抱えているはずだと信じようとはしている。だが、ウィンストン・チャーチルが語った有名な「民主主義は最悪の政治だ。ただし、これまで試みられたすべての政治体制を除けばだが」というこの制度の将来の見通しをめぐり、はじめて心の底から不安を覚えるようになった。

もちろん、テクノロジーの偉大なるパイオニアたちはそんな不安は持ち合わせていない。テクノロジーが築くまばゆいユートピアを心から信じ、自分たちには、そのユートピアに私たちを導く能力があると信じて疑わない。幸いにも、彼らの何人かとは直接会って話を聞くことができた。また、シリコンバレーに滞在し、この世界の住人とも多くの時間をいっしょに過ごすことができた。私の経験からいうと、悪だくみをひそかに抱えている者など皆無に等しく、ほとんどの者がデジタル・テクノロジーは解放の力となりうると心から信じている。

彼らが築くテクノロジーはどれもすばらしい。だからこそ、ますますテクノロジーを潜在的に危険なものにしてしまう。一八世紀のフランスに生きた革命家とまさに同じで、彼らもまた平等という、観念的な原理に基づいて世界を構築できると信じていた。現代の夢想家は、コネクティビティーとネットワーク、プラットフォームとデータに決定される社会を絶えず夢想している。ただ、民主主義も現実の世界も、そんなふうには動いてなどいない。

民主主義はもっと緩慢で、検討に次ぐ検討を重ねていくものであり、具体的な事物を土台にしている。デジタルではなくアナログに根ざした原理なのだ。それだけに、人々の現実や願望に反する未来像は、いかなるものであれ、思いがけない不幸をもたらす結果になってしまうだろう。

第1章　新しき監視社会

◉データの力は自由意志をどのように操作しているのか

私たちは日々広告を流す巨大なパノプティコン（円形刑務所）のもとで暮らしている。私たちのデバイス中毒をあおり続ける監視塔だ。人々をコントロールする長い歴史において、データ収集・予測システムも単なる最新の繰り返しでしかないが、その手法は日々進化を重ね、予想もしない深刻な結果をもたらしている。人心操作に転用される可能性、関心の矛先は絶えず逸らされ、選択の自由と自治はじわじわと減退していく。

企業にとって、創業神話はないがしろにすることはできない。自社の考えを形にし、どんなふうに他者から見てもらいたいのか、創業神話にはそれが反映されている。ソーシャルメディアの創業神話は、自分たちは〝ハッカー文化〟の血を受け継ぐ者——フェイスブックの本社はカリフォルニア州メンローパークのハッカーウェイ一番——で、彼らはこの文化を通じ、一九八〇年代に電話ハッカー《フリーカー》として知られたケビン・ミトニックのような掟破り、あるいは規制嫌いのコンピュータの愛好家団体「ホームブリュー・クラブ」につながる。さらにさかのぼるなら、天才数学者アラン・チューリング、詩人バイロンの娘で「プログラマーの母」と呼ばれるエイダ・バイロンの系譜にも連なる。

だが、グーグル、スナップチャット、ツイッター、インスタグラム、フェイスブックなどは、とっくの昔に単なるテクノロジー企業であることをやめている。彼らは広告会社でもあるのだ。フェイスブックとグーグルの収入の約九〇パーセントは広告収益が占めている。そして、ソーシャルメディアは、全事業の実質的な基盤として、無料サービスを提供することで、見返りにネットユーザーのデータを得ている。企業は、このデータをもとに広告を使って私たちに狙いを定める。*

数学的法則で人間の行動を変える

ソーシャルメディアは、創業神話とはまったく異なり、むしろ見た目の華やかさとは無縁の系譜に連なることをこの事実は示唆している。その系譜とは、人間の意思決定をめぐる謎の解明、前頭葉のどこかに隠れている「購入ボタン」の部位の探究であり、スーツ姿の広告業界の人間と心理学者の何十年にも及ぶ奮闘努力の歴史にほかならない。創生期のアメリカ心理学の誕生の物語と言ったほうが、むしろふさわしい。

アメリカの心理学は、大衆消費文化が始まったころと同じ一世紀前の時代に、まじめな研究学問の一部門として登場した。心理学そのものは、何年にもわたってヨーロッパ、とくにドイツで発展を重ね、アメリカには第一次世界大戦の前に渡った。「自由意志」「精神」などの哲学的な傾向にふけりがちなヨーロッパの心理学から、アメリカ特有の亜種が芽生えていく。ジェームズ・キャッテル、ハーロー・ゲイルなどといった先駆者の尽力で、アメリカの心理学は人間の意思決定をめぐる探究に変わり、ビジネスでも通用するハードサイエンスに変貌を遂げた。[1]

一九一五年、ジョン・ワトソンがアメリカ心理学会の会長に就任する。人間の行動は本質的にいずれも計測可能な外部からの刺激の産物なので、研究と実験を通じてそ

＊　二〇一六年、グーグルの総収入八九四億ドルのうち、七九〇億ドルが広告収入によるものだった。広告収入の比率はフェイスブック、ツイッター、スナップチャットも同様だった。言うまでもなく、このような交換、つまり個人データと無料サービスの交換を通じ、私たちはある種の契約を交わしている。ひそかに監視させることを認めれば、すばらしいサービスをただで提供されるのだ。だが、この交換はいささか一方的だ。同意書に記された文言や相手が細工した条件に目を通す者はめったにいない。あまりにも長ったらしく、何が書かれているのか理解できるのはソフトウェアのエンジニアリングにかかわった経歴がある弁護士ぐらいで、しかも相談に割ける時間など週一日程度でしかない。数年前のことだが、イギリスのある会社が、同意書にある許可を求める条文をこっそり挿入していた。その条文には「現在および今後永遠にわたり、あなたの不滅の魂を要求する」ことに同意せよとあったが、それに気づいた者は一人もいなかった。

の行動を読み解き、コントロールできるとワトソンは主張した。「行動主義」として知られることになる学説で、その後バラス・フレデリック・スキナーの業績によってさらに世に広まっていく。人間が他者の影響を受けるという研究者のお墨付きは、自社商品の販売を願う企業にはまさに願ったりかなったりで、行動主義心理学はウイルスのように企業世界を席巻した。

ワトソンをはじめとする学者の後押しを得て、ビジネスマンは何年にもわたり、自分たちは人間の欲望、希望、恐怖、もちろん購買に対し、神のごとき力を持つと信じた。しかし、一九二〇年代、統計学に基づくマーケットリサーチ（行動主義とは異なり、顧客に対して実際に質問を投げかけて調査を実施する）が行われるようになると、行動主義はいささか時代遅れの観を呈する。しかし、行動主義もマーケットリサーチも、これ以降、私たちが現在目にする科学的手法をさらに深めた広告の先駆けとなるものだった。

ジョン・ワトソンがいまも生きていたら、グーグルかアマゾン、あるいはフェイスブックあたりで、〝ナッジ理論担当チーフ《ナッジャー》〟として採用されていたことだろう。ソーシャルメディアが提供するプラットフォームは、行動主義心理学が夢見るファンタジーの最新版だ。完璧な情報循環で人の心を科学的に観察することを通じ、社会を操作できる。だから、製品を使ってもらうことで製品を試験し、結果をフィードバックして改造を加えていく（訳註：ナッジ（nudge）は「注意を促すためにそっと肘で突《つつ》く」の意。行動経済学のナッジ理論は、科学的分析に基づいて人間の行動を変えることをいう）。

言葉を換えるなら、この考えは『サピエンス全史』（河出書房新社）の著者ユヴァル・ノア・ハラリが「データイズム」と呼ぶものである。機械と同じように、データの数学的法則は人間にも当てはまるとハラリは主張する。十分なデータを用い、人間の心の謎を読み解き、なおかつ影響力を行使する考えは、おそらく今日のシリコンバレーを支配する哲学なのだろう。

二〇〇八年から頻繁に引用されてきた論文のなかで、当時、雑誌「ワイアード」の編集長だったクリス・アンダーソンは、「理論の終わり」だと説いていた。科学理論はもう必要ではない、われわれの手元にはいまやビッグデータがある。「人間行動の理論など、ことごとく捨て去ってしまえ。人間がなぜそんな行動に出るのかは、誰にでもわかるようなことではない。肝心なのは人間がそんな行動をとっている点なのだ。そして、私にはかつてないほどの正確さで、その行動を追跡し、測定することができる」。グーグルのエンジニアは、人はなぜ他のサイトではなくグーグルを訪れるのか、その理由を推測したり、理論化を試みたりはしない。彼らは淡々と事を進めて、何が役に立つのかを見届けているだけだ。

スマホから離れられない

世界的に名の知れたハイテク企業ならどこの会社にも、世界有数の頭脳を持つ連中がいて、そのなかには、なぜ人がクリックしたのかを分析し、さらに何度もクリックさせるにはどうすればいいのか、それを分析することで大金を得ている者がいる。フェイスブックの成功の秘密とはつまるところ人間心理に尽きるだろう。人は他者を真似し、他者を観察することを好む生きものだ。フェイスブックは、他者とのあいだで、「見る・見られる」関係を構築することに関し、前例のないシステムを生み出した。もっとも、そうではあるが、ユーザーを虜にするため、フェイスブックのシステムそのものは、いずれも考えに考え抜かれた戦術で補完されている。

ハイテク企業の各社は、何百万ものユーザーを相手に無数のテストを繰り返し、背景や色、画像、明暗、書体、音響の微調整を行っている。いずれもユーザー経験《ユーザーエクスペリエンス》（UX）やユーザーのクリックを最大化するためだ。[2]「いいね!」「友だち」「投稿」「インターアクション」「新メッセージ」（〝緊急便〟といつも赤で表示されている）など、フェイスブックのホームページは、ひと目で視認できる数字が並ぶよう、注意深くデザインされている。オートプレイ、無限スクロール、新しい順に表示されていくタイムラインなど、どれもユーザーの関心を持続させる目的で整えられてきた。[3]

確かに効果は見ての通りだ。私たちの多くはいまやゾンビ軍団の一員となって、うつむいてスマホを見ながら町を歩いている。おしゃべり《チャット》の相手は、隣に座る誰かではなく、はるか遠くにいる魂のないアバターだ。

ご多分に漏れず、自分はこうした変化の観察者であって、当事者ではないと私も考えていた。昨年のことになるが、「リアライズD（RealizD）」というアプリをダウンロードして確かめてみることにした。このアプリはスマホの使用頻度と使用時間をカウントしてくれる。

・11月27日月曜日：103回（5時間40分）
・11月28日火曜日：90回（4時間29分）
・11月29日水曜日：63回（6時間1分）
・11月30日木曜日：58回（3時間42分）
・12月1日金曜日：71回（4時間12分）

この結果から、私は一日平均七七回スマホを手にして確認していることがわかる。睡眠時間を除けば、一二分ごとにスマホをチェックしている勘定だ。しかし、それは私だけではないだろう。心理学者のアダム・オルターの話だと、アルコールや煙草への依存は、いまやインターネット依存症に取って代わられつつある。病的なほど頻繁にデバイスを手にして確認したり、あるいはスワイプしたり、クリックすることが伝染病のように蔓延している。[4] 自分はインターネットにどっぷりとか、あるいはスマホなしでは生活できないという人たちの数は相当数にのぼっている。[5]

研究者のなかには、若者のあいだで薬物やアルコールの依存が減少しつつあるのは、着信音や呼び出し音を聞いて放出されるドーパミンによって引き起こされる刺激のほうが強いせいではないかと考える者さえいる。* 「二〇〇四年、フェイスブックは楽しかった」と書いていたオルター自身が、「二〇一六年、フェイスブックは手放せなくなっていた」[6] と記した。これは決して偶然ではないだろう。まさに「アテンション・エコノミー（関心経済）にようこそ」である。

一二分ごとに私がスマホを確かめるのは、他者の反応が気になるからであり、その思いは執拗でつかみどころがない。情報への期待は脳内ドーパミンの報酬系に深く関係し、報酬の頻度が気まぐれなほど、中毒性が深まることはこれまでの研究からも解明されている。[7] そして、この機序は「プッシュ通知」としてスマホにも組み込まれ、受信トレーにメールが届くと短い着信音やポップアップが表示される。

同様に、二〇一〇年に導入されたフェイスブックの「いいね！ボタン」も「好意感情研究」（実在した研究だ）というはるか以前の研究の一分野に由来している。商品に対する好感あってこその広告であることは、この研究ですでに明らかにされている[8]（フェイスブックがもともと計画していたのは〝すごい《オーサム》ね！ボタン〟だったようである[9]）。

フェイスブックの初代ＣＥＯ、ショーン・パーカーは最近、「いいね！ボタン」のことを「社会的な妥当性を確認するフィードバックループ」（訳註：フィードバックを繰り返すことで結果が増幅されていく）と呼び、「（略）自分のようなハッカーがまさに考えつきそうな種類のものであるのは、人間の心理的な弱みに巧みにつけいっているからだ」。自分はもちろん、ザッカーバーグやほかの仲間も、この点は理解していたとパーカーは言う。「だから、とにかくやってみることにした[10]」

＊　これについてよく耳にするのは、着信音や呼び出し音を聞くと、脳内では快楽物質であるドーパミンが放出されるためだからという説だ。しかし、実態はいささか不気味である。ドーパミンの放出経路は、人の快楽程度をどうやら予測しているようなのだ。程度が水準より低ければ、ドーパミンは下降したと感じられる。逆に水準が維持されていると、ドーパミンの放出がふたたび跳ね上がると期待できる。自分の書き込みに誰かが返事をくれたときに覚える快感は、何が書いてあるのかという期待だ。しかし、経験からおわかりのように、現実は願っていたほどいい内容ではない。私たちはドーパミン探しの無限ループにとらわれている。

ビッグデータを使うアルゴリズム

広告業界の人間なら誰もが願うように、ソーシャルメディアの巨大企業の至高の目標もまた、ユーザーであるあなたが自分を知る以上に、あなた自身のことを知ることに尽きる。あなたが何を計画し、何を語り、何を考えているのか、ソーシャルメディアはそれを予測したいのだ。

フェイスブックはお遊びでユーザーのデータを集めているわけではない。あなたの頭のなかに侵入するためにデータを収集している。企業があなたについて知っていることは、あなたがソーシャルメディアで過ごした膨大な時間に基づくものにすぎないとはいえ、インターネット、年齢、友人、職業、活動やその他もろもろの項目を満たすには十分なデータがそろっている。

それだけではない。フェイスブックは、アキシオム（Acxiom）のようなすご腕の〝データブローカー〟と提携を結んでいる。アキシオムが保有するのは、世界で五億人を超える能動的な消費者情報で、しかも各個人について無数のデータポイントを備えているデータだ。年齢、人種、性別、体重、身長、配偶者の有無、教育水準、支持政党、購買動向、健康上の不安、休暇などの個人データであり、他の小売店や記録から集めてきた情報も少なくない。[11] さらに相互参照して解析した情報を武器に、企業はこれまで以上に緻密な広告で消費者に狙いを定めることが可能になった。

しかも、データ収集に向けられたこの熱狂はまだ緒についたばかりだというから驚きだ。二〇二〇年、ネットに接続可能なデバイスは五〇〇億台前後に達する。原稿執筆時点（二〇一八年）の四倍だ。五〇〇億の一台一台が、自動車、冷蔵庫、衣類、信号機、読書傾向をめぐる情報を吸い込んでいく。あなたの可愛いお嬢さんが人形で遊んでいる。これもデータポイント。あなたの連れ合いが紅茶に砂糖を入れた。これもデータポイント。飽くことを知らない巨大なデータモンスターの目をかいくぐれる者は誰もいない。

グーグルはストリートビューのカメラマンをショップやオフィス、ミュージアムの内部に送り始めた。ユーザーが行きたいと思う場所なら、どこであろうとその場所の詳細な3Dモデルを作り出すためだ。スマートホームはお気に入りの室温、洗濯時間、何を料理し、睡眠時間はどのくらいかと探ろうとする。あらゆることがデータリズムの執拗な調査によって漏れなく集められ、解析され、その他すべてと比べて検討される。データによる成功の果実は、人間が行ういまどきの分析をはるかに上回る。アルゴリズムが現代経済の中心を占めるのもそうした理由からである。

アルゴリズムそのものは単なる数学的手法で、コマンド通りにコンピュータを実行させるための一連の命令にすぎない。たしかに技術的な解説ではそうだが、実は、必要な情報を選別して予測し、相互に関連させて目標を絞って学習していく領域に至る魔法の鍵がアルゴリズムにほかならない。アマゾンの「おすすめ商品」やフェイスブックのニュースフィード、グーグルで検索したときに現れるポップアップ広告まで、すでに人々の日常はアルゴリズムによって導かれている。デートの相手探し、仕事先への道順、好みの音楽、オンラインニュースを収集してくれるニュース・アグリゲーター、そして身にまとう衣類などなど。

ビッグデータを使った昨今のアルゴリズムが不気味なのは、自分でさえほとんど気づいていない点まで解読するその手法だ。だが、人間というものは容易に予測できてしまうものなのである。どんな曲を演奏するか程度の、ささいで無意味な情報の切れ端でも、アルゴリズムは、相手がどんなタイプなのか解明する決め手を特定できる。

「いいね！」であなたが何者か割り出せる

二〇一一年、当時、ケンブリッジ大学で心理学を専攻していたマイケル・コジンスキー博士は、回答者の性格的特徴を判断するオンライン調査法を開発した。心理学者たちは何十年にもわたって、質問票によって人の性格を分析する手法を確立してきた。*博士は、オンラインデータなら、調査の必要なく、個人の性格上の特性を突き止められるのではないかという点に興味を覚えた。フェイスブックの何に「いいね！」のボタンを押したのかを基礎に解析するだけで、心理学上のプロファイリングの精度を高められるかもしれない。

博士と研究チームは診断テストをいくつか用意するとフェイスブックに投稿し、質問に答えてくれるようユーザーたちに呼びかけた。

私たちが生きているのは、やはりナルシシズムの時代だ。質問は瞬く間に拡散し、何百万という人間が答えた。集まった答えをユーザーたちの「いいね！」と相互参照した博士は、答えと「いいね！」のあいだに相関関係があることに気がついた。この結果を受け、博士は「いいね！」ボタンだけからで、質問に答えていない何百万のユーザーの詳細な性格診断が割り出せるアルゴリズムを考案する。

二〇一三年、博士はこの結果を論文にまとめて発表した。容易にアクセスできるデジタルの行動記録を利用すれば、ユーザーの性的指向、民族、宗教的信条、政治的見解、さらに個人的特徴、知性、幸福度、薬物の使用、親の離婚の有無、年齢、性別などが迅速かつ正確に予測できることを明らかにした。**[12]

＊ もっとも一般的な手法は、「ビッグ・ファイブ」として知られるモデルだ。性格をめぐる五つの領域――①開放性（Openness）、②誠実性（Conscientiousness）、③外向性（Extraversion）、④協調性（Agreeableness）、⑤情緒不安定性（Neuroticism）――のうち、「あなたはどのぐらい計画的か」のような一般的な質問の応答に基づき、対象者がどこに位置づけられるか判定する。頭文字から「ＯＣＥＡＮ」とも呼ばれる。

　二〇一七年、私は博士に会うため、スタンフォード大学を訪れた。博士の現在の拠点だ。スタンフォードはシリコンバレーのための大学だと多くの人たちが考えている。立地も近いし、シスコシステムズ、グーグル、ヒューレット・パッカード、ヤフーの創業者はいずれもこの大学の出身者だ。大学教授というには博士はとても若々しく見える。訪れた私を経営大学院（もちろん経営学に関連する）にある研究室に案内すると、ここで博士が考案したシステムがどのように機能するのか、実際に試してみてくれた。

　博士のアルゴリズムに私の「いいね！」を二〇〇ほど差し出した。テレビドラマの「ザ・ソプラノズ 哀愁のマフィア」、ケイト・ブッシュ、「ターミネーター2」、雑誌の「スペクテーター」などなど。アルゴリズムは世界に向かって飛び出していき、似たような組み合わせ、もしくはこの組み合わせの別の形を持つタイプの人々を見つけ出す。アルゴリズムが魔法を駆使しているあいだ、モニターには小さな車輪がくるくるまわっている。そして、結果が不意に表示された。

「偏見にとらわれない。リベラル。芸術家肌。きわめて高い知性」。私は「このシステムがどれだけ正確かは、これではっきりしましたよ」と軽口を叩いた。ただ、狐につままれた思いをしたのは、宗教には無関心だが、かりに信仰するとしたら、カトリックであると予測されていた点だ。あまり褒められた話ではないが、五歳から一八歳まで私が在籍していたのはカトリック系の総合制学校《コンプリヘンシブ・スクール》である。いまでも宗教には関心はあるが、だからといって教会に通っているわけではない。

同じように、私はジャーナリズム関連の職業に携わり、とりわけ歴史に強い関心を寄せているとアルゴリズムは分析していた。大学では歴史を専攻し、歴史学の研究方法をテーマに修士号を取得している。

以上の予測はすべてフェイスブックの「いいね！」がもとであり、私の経歴や養育歴は関与していない。「それは、この分析法に関し、一般の人が首をかしげる点のひとつでもありますね」と博士は言う。「あなたがレディー・ガガについて〝いいね！〟ボタンを押せば、もちろん、あなたはガガが好きだと私も断言できますよ。…ですが、このアルゴリズムがまぎれもなく世界を変えてしまう点は、一見するとまったく無関係のようですが、音楽嗜好あるいは読書傾向からあなたの信心深さ、リーダーとしての素質、政治的信条、パーソナリティーなどに関し、正確を極めた情報を抽出できる点です」

＊＊　フェイスブックがこの手法を使ったことを示す証拠は皆無である（ただし、二〇一七年五月の「ガーディアン」の記事では、フェイスブックのオーストラリアチームが、どのような場合に一〇代の若者がストレス、不安、気落ち、心配を覚えるのか検出できると広告主に語ったという。これに対してフェイスブックは、「感情状態に基づいて対象を抽出する手法は提供していない」と応じている[13]。

選挙において、政党がこのアルゴリズムをどのように使っているのかは第3章で明らかにする。いずれにせよ、私は激しい興奮を覚えて博士の研究室をあとにした。その興奮とは、この種の分析法に覚えた激しい気持ちの高ぶりであると同時に、私たちの理解を超えた新しい権力の源泉だという衝撃だ。私たちが手もなくコントロールされてしまうだろう。

“ナッジ”の見えざる手

当然、データイズムの最終目標は、各人に応じた予測可能で目標設定もできるデータポイントに、私たち一人ひとりを変えていくことにある。ただ、チャットボット（訳註：人工知能による自動会話プログラム。「人工無能」とも。「ボット」は「ロボット」の略）に話しかけたり、買い物の下調べとして広告を見たりした人ならおわかりのように、その技術はまだまだ完璧とはほど遠い。だが、目指している方向は一目瞭然で、どんなものであるのかはすぐにイメージが浮かぶ。いつの日か、個人のあらゆる選択は、アルゴリズムに基づく情報で処理された一連のナッジの支配下に置かれる。しかもそのナッジは、個人に合わせ、入念かつ完璧に調整されたものばかりだ。

たとえば、こんな光景が想像できるだろうか。オートセットの起床装置で始まるすがすがしい早朝の目覚め、この装置はあなたのスケジュールや会社に到着するまでの平均所要時間を把握している（移動時間は平均交通量から算出）。朝食はデータに基づいて作られている。あなたの体調とあなたと同じタイプの人間の健康情報をすばやく分析して、今日一日のために必要な申し分のない栄養バランスが確保されている（こうしたアドバイスを守っていけば、生命保険の掛け金も少しは減らせる）。乗り込むのは自動運転の車。この車は無人タクシーとして深夜のシフトから戻ってきたばかりだ（稼いだ料金はあなたのもの）。今日は重要な販売会議、くつろいで進む道すがら、あなたのＡＩアシスタントチャットボットが前期の売上と参加者の顔ぶれを踏まえ、何を話せばいいのかアドバイスしてくれる。退社時間を迎えるまでこんなことが続く。

もちろん、このころになると広告の可能性は目を瞠るものになっている。どうしても食べがちになってしまう人、統計上からも過食に陥りやすい人は、睡眠パターン、食事、フェイスブックでの言葉遣い、声の調子などの分析に基づき、地元のジムから広告が届けられる。秘書機能つき人工知能が、あなたが必要な情報を必要なタイミングで提供してくれるが、なぜそんなことがわかるのか、当のあなた自身でさえわからない。

ただ、この話のプラス面がすぐにどうでもよくなるのは、その印象がチャーリー・ブルッカーのＳＦアンソロジードラマ「ブラックミラー」の一話に酷似しているせいである。勤務先のデモスで私が運営しているセンター部門は、ビッグデータの分析が専門である。社会の動向や疾患、テロリズムをはじめとする数多くの現象について、新たな解釈の道筋を見つけてきた。

データを使えば、政府の責任を問えるし、実際に追及できるのは、政府の各部門の業績に関する情報が、これまで以上に活用できるからだ。今後、個人用AIが普及すれば、これを使ってクレジットカードや自動車ローン、年金や投資について企業のAIと交渉するようになるはずだ。[14] 利用者目線からすれば、いずれもうれしいニュースばかりだ。

しかし、データの収集から分析・予測・ターゲティングへと至るこの一連のパターンは、民主主義の国で生きる市民に三つの課題を突きつける。

一番目は、ソーシャルメディアとデータ収集が絶えず目を光らせているもとで、私たちが政治的に成熟できるのかどうかという問題だ。二番目は、このような手法が人心操作のために使われ、市民の関心を逸らし、市民の利益を無視するような形で影響力が行使される危険性である。三番目の課題は、以上の課題よりもさらに仮定に基づく問いだが、私たちの存在そのものにかかわる問題だ。そもそも私たちは、モラルをめぐる重大な決定をなしうるほど、自分たちを信頼しているのかどうかというものである。

この三つの課題について、それぞれ順を追って見ていこう。

永続的な監視システム、パノプティコン

一八九〇年、「ハーバード・ロー・レビュー」に寄稿した論文のなかで、サミュエル・ウォーレンとルイス・ブランダイス（両名とものちに合衆国最高裁判所判事となる）は、カメラの普及は国民を絶えまない監視のもとにさらすリスクをもたらすのではないかと問いただした（時代を画す論文で、依然として今日的な問題をはらんでいる）。

新しいテクノロジーは、デリケートな社会的規範にたびたび変更をもたらすので、その変化に応じて新しい法律を整備していかなくてはならないことに二人は気がついていた。一九世紀早々の社会の苛烈さと複雑さを顧みれば、「孤独と私生活を干渉されない権利は、個人にとっていっそう必要不可欠になる」とウォーレンとブランダイスは考えていた。国民には「放っておかれる権利」が必要だと二人は主張していたのだ。

以来、プライバシーという法的権利は、法律制度のもとで神聖視され、さまざまな保護措置を通じ、私的な領域に侵入しようとする横柄な国家、節度のない企業から市民を守ってきた。国によってプライバシー法の効力は大きく異なるものの、もしもこの法律が存在しなければ、今日、私たちは、四六時中くまなく監視された世界で暮らしていたかもしれない。このような法律がない国では、ウェアラブルデバイスや文字

通り抜け目ないスマートハウス、AIによって、政府の監視や管理が前例のないレベルに達していたのはほぼまちがいないはずだ。[15]

これは寡頭政治や独裁政治に限った不安ではない。自由な社会であっても、国家は絶対に国民を「放っておいて」はくれないからだ。データ狂奔時代を迎え、新たな監視形態の可能性の扉が開かれたのは民主政治も同じで、公民権の擁護団体の多くが合法的な政治討論や活動にどう影響するのか不安を覚えている。ほかの人たち同様、私もそれを警告する記事は読んでいる。批判的で攻撃的な言葉を口にしただけで逮捕され、起訴されるという話がやはり増えつつある。事例によっては、対象者の身辺をいちいち嗅ぎまわる必要さえない。利用しているテクノロジー企業に問い合わせるだけで、必要な情報が探り出せるからである。[*]

ビッグブラザーならぬリトルブラザーによる絶え間ない監視とデータ共有で、これまでになく狡猾な脅威がまたひとつの生み出された。

一八世紀、哲学者のジェレミー・ベンサム（彼については後述）は「パノプティコン」と呼ばれる、それまでになかったタイプの刑務所を提唱した。パノプティコンは、収容者全員が自分はたった一名の看守からつねに見張られているのではないかと思い込ませるように設計されていた。収容者が本当に見張られ続けていても、収容者自身には知るよしもない。自分は見張られていると誰もが思えば、みんなおとなしくしている。そう思い込ませれば十分だとベンサムは考えた。

私たちの時代のパノプティコンでは、看守はたった一人ではない。誰もが他人に目を凝らし、同じように誰もが他人から観察されている。この種の永続的な可視性と監視は、社会の調和と安寧を徹底させる方法のひとつだ。つねに監視され、自分の発言が収集され、共有されているとわかっていれば、自らの言動を絶えず意識する思いが生まれる。人々がツイッターで、大声をあげているときには、おそらく感じられない心の反応だろう。だが、あらゆる炎上の陰には、何百何千というもの言わぬユーザーがいて、人の投稿には目を通しても、自分からは書き込もうとはしない者がいる。彼らが恐れるのは、ツイッターの怒れる群集であり、個人データの収集者、詮索好きな雇用主、そして、卑劣な手段で社会を大騒ぎさせようと、ネットで待ちかまえるプロ化した犯罪者の群れなのだ。

市民が日々の生活でくだすモラルをめぐる判断能力は、この自己検閲によってまち

＊　ちなみに、これを地で行ったのがアメリカ国家安全保障局（NSA）の通信監視プログラム「プリズム」だった。エドワード・スノーデンの内部告発で、はじめてその存在が明らかにされた。

がいなく蝕まれていく。矛盾や誤った発言をしても、そこから何かを学ぶことで、自ら考える能力は育まれていくからである。しかし、ソーシャルメディアが生み出したのは、これ見よがしな政治のいびつな姿で、そこでは市民全員がなんらかの役割を演じ、拒みようがない一般論（「この考えはろくでもない！」「この人物ならいい！」とか）を口にする。これではその人本来の個性を育んでいく余地は限られてしまう。[16]

たとえば、忘れる能力が個人の発達に不可欠であるのは、心が変化していくことで、人は成熟し、成長を遂げていくからだ。有名無名を問わず、ますます大勢の人たちが、デジタル・テクノロジーは忘却と無縁である事実を苦い経験とともに知るようになった。時には、権力者の意図や偏見を暴き立てるというメリットがないわけではない。だが、公開討論会などで若気の至りで発した愚かなひと言も、その発言が未来永劫蒸し返され、当時の発言そのままで再現されるようになれば、黙っているに越したことはないと、ますます多くの人たちが考えるようになる。健全で思慮深い大人として成長していくには、望ましい環境ではないだろう。

コントロールされる「自由意志」

二番目の課題は市民の関心を逸らし、操作するという問題だ。私たちは広告やブランド戦略は言うまでもなく、スーパーマーケットに行けば店内レイアウト（お菓子はかならず子供の目線の高さに合わせられている）という影響に絶えずさらされ続けてきた。しかし、その目盛りが現在では一桁高まっている。データ分析やアルゴリズムが、自分が知る以上に自分のことに精通するようになれば、私たちの理解を超えた方法や決して解明できない方法で、市民を操作したり、あるいは支配したりすることが可能になるのだ。

そのシナリオを想像してみよう。広告配信システムは言葉を使いながら、あなたをターゲットとして攻略する方法を学んでいく。その言葉は、あなたがこれまでどのような発言をしてきたのかという事実から、この言葉なら信じてもらえるとか、興味がかき立てられるとシステムが学習した言葉だ。そして、世に二つとないスポンサー付きのツイートを書き上げる。あなたの感情のスイッチをオンするツイートで、ログインしたときにはいつも表示される。そのときのあなたがどのような精神状態にあろうとも、それに合わせて文言を調整する。その日、見知らぬ外国人と会ったせいで不快な思いをしていれば、恐怖をことさらあおる反移民の地元政治家からのメッセージが届き、同じように、リサイクルにいささか精を出せば、太陽エネルギーに関する案内がグリーンピースの地方支部から送られてくる。

これらの例は、どちらかといえばありきたりだ。だが、この方法ならじっくりと読んでもらえるという理由だけで、徐々に憎悪を募らせていく内容の個人宛てメッセージを使い、反ユダヤ主義者がターゲットにされたらどうなるか。あるいは、週のうち、特定の曜日を把握したうえで、その日に合わせ、自己評価をさげるメッセージを送れば、おそらく抑鬱剤の売上を二〇パーセントは伸ばせることができるだろう。対象者が弱っているとき、あるいは現金が不足しているまさにそのときに狙いを定め、ズバリの文言でペイデイローン（訳註：次回の給料を担保にした非常に高金利の消費者金融）やギャンブルの広告が送られてきたらどうなるのだろうか。

選択の自由をめぐる程度の問題は、当の本人が自分の自由意志をどのように考えているかしだいで決まる（「固い決定論者」と呼ばれる哲学者は、そもそも自由意志など存在するのかと問いかけている）。しかし、少なくともビッグデータを駆使したアルゴリズムが、新たな権力と影響力、国民の支配に関する抜き差しならない問題を突きつける。この手の隠蔽された誘導に対し、かつて私たちは世をあげて震え上がった。サブリミナル広告だ。実際、不安に駆られたあまり、アメリカの連邦通信委員会はただちに、サブリミナル効果を狙ったメッセージは「公益に反する」という判断を下した。その影響を実際に受けたという明らかな証拠が皆無だったにもかかわらずだ。

しかし、現代の人心操作がどう作用するかについて理解できる者など誰もいない。テクノロジー企業の従業員だからといって、会社が使っているアルゴリズムに誰もが精通しているのかどうか大いに疑わしい。自動車や鉛筆を作っているからといって、社員全員が製造に携わっているわけではないのとまったく同じ理屈だ。

アルゴリズムは、プログラムの数式にさらに数式を重ねるように構成されている。強力なアルゴリズムは私たちの世界を形づくり、その過程の大半において人間はまったく関与していない。すべては自動的に処理され、絶えずフィードバックを繰り返し、増強することで自らの改善を図っている。その秘密は、いわばコカ・コーラのレシピのように、ごく限られた者の手で厳重に秘匿されているのももっともな話だ。不正が起きても監視官には知る術もなく、まして状況をどう把握していいのか見当さえつかない。

ベンサムの「快楽計算」のアルゴリズム

これまでの能力を超えるＡＩの出現、そしてデータイズムへの予感――データの数学的法則が人間の意思決定に用いることができるという信仰――は、間もなく私たち人間が、自分をどう理解するのか、それに対して根源的な挑戦状を突きつけてくるだろう。これが三番目の最後の課題である。

『サピエンス全史』の著者ユヴァル・ノア・ハラリは、画期的な第二作『ホモ・デウス』（河出書房新社）で、われわれ人間は、自分たちこそ意味をめぐる究極の源で、人間の意志こそ権威のもっとも高位な姿だと、何世紀にもわたって信じてきたと説いている。これは私たち人間がその手で築いてきた神話だ。つまり、ほかの動物よりも力と大きさにまさるがゆえに人間は世界を征服したのではなく、人間が賢さの点で動物にまさっていたから征服できたという信仰だ。民主主義に格別なモラル上の価値と目的があると私たちが考えるのは、人間の判断とモラル上の選択には、このうえない価値があると見なしているからである。

しかし、何ペタバイト（訳註：一ペタバイトは二の五〇乗バイト。一兆キロバイト）のデータ容量で武装した賢い機械が、われわれ人間よりさらにまともで、思慮深く、賢明な決定を一貫してくだすことができるとしたらどうなってしまうのだろうか。

これが意味することについて、未来学者は雇用の点から言及を繰り返すが（本書では第4章でこの問題について説明する）、私たちの自意識や価値観にどのように作用するのかという点について問われることはめったにない。AIの進化の速さからうかがえるのは、AIがますます実際的な洞察力と回答の正確さを高めていき、人間の判断よりもはるかに優れていくようになる点だ。

医学を例にとれば、AIによる診断は数年のうちに専門医の診断技術をうわまわるはずである（すでに多くの分野でAIがしのいでいるが、技術の進化に規制が追いついていけないのが現状）。当初のうちこそ、生死をめぐる判断を機械に委ねることに怖じ気づきはするものの、たちまち受け入れてしまうのは、旅客機のオートパイロット導入のときとまったく同じだ。同じことは支援物資の分配、効率的な送電網、穀物生産高の予測、石油漏出箇所の特定についても言えるだろう。[17]

こうした技術的な問題が、モラルの問題へと変わるのは時間の問題にすぎない。というのも、もたらされる違いが、期待していたほどすばらしい話ではないからである。一八世紀のフランス革命以降、新しい技術の波が到来するたびに、これでモラルをめぐる複雑な問題も、厳格で完璧な科学で解決できるという過剰な期待がつきものだった。これまでに実現されなかったが、今度ばかりは違うと考えるのは、数字の力に圧倒され、人間の判断が麻痺してしまうからである。

この危うげな発想のもっとも有名な例が、あのジェレミー・ベンサムだった。ベンサムが考案したのはパノプティコンだけではない。一七八九年には「快楽計算」という、いかなる決定であろうと、そのモラル上の正しさを計量できる（と本人が主張する）ある種のアルゴリズムを考え出した。モラルの正しさとは、その決定によって、最大多数の人々の快の総和がどれほど増加し、苦の総和がどのくらい減じたかで計測できるとベンサムは考えた。アルゴリズムの祖型のような彼の計算式では、快楽の強度、持続性、多産性などの要素が考慮されていた。

ベンサムが功利主義者であったのは、行為の結果はそのモラル上の価値によって決まると考えていたからである。彼がパノプティコンのような装置に魅了されたのもそのせいだ。結果による効用とは、「名誉」や「義務」などの漠然としたモラルの話ではなく、定量化が可能で分類ができるものなのである。

ベンサムには、計算式を実行するコンピュータもなければ、データも持ち合わせていなかった。しかし、そのアルゴリズムは、人々の気分、健康状態、満足度、婚姻歴、財産、年齢といった、現代で言うなら、何ゼダバイト（訳註：二の七〇乗バイト）もの容量に相当するデータにアクセスしていたのだ。いまふうにバージョンアップした「快楽計算2.0」も、こうした変数に基づいて、意思決定をめぐる同様な結論を導き出せそうだし、判断をくだす際の指針となる総スコアを算出することができるだろう。

私：私は功利主義者だ。有機野菜は買ったほうがいいのだろうか。

快楽計算2.0：有機野菜の栽培データ、輸送に伴う排ガス、国の農業助成金に基づけばそうですが、経済成長とは反相関的で、国の国民幸福度のデータを踏まえると、62パーセントの可能性で「イエス」です。

私：私はカントの定言命法を信じる義務論者だ。あの会社の最新のジョギングシューズは、製造過程で不必要な危害を発生させていないことを確認してみてくれ（問題がなければ、注文の手配をしておいてくれ）。

快楽計算2.0：最新のあのジョギングシューズの注文は見送りました。別のブランドのシューズを検討されることをお勧めします。

という具合に続いていく。*

やっかいな問題は機械にまかせろ

もちろん、快楽計算2.0では十分なデータは決して集まらないし、この算式は極めつきの還元論主義なので、物事を各要素に分解し、その要素から全体を理解しようとする。つまり、人間の意思決定に見られる繊細さが把握できない、冷たい計算機なのだ。ベンサムの同時代の人間もそう言って反論していた。

---

* 一方で、モラルの判断を機械に委ねるのではなく、機械と統合するという別の考え方がある。技術的に進化する必要はあるが、かなり理想に近づく。人間の手にある選択行為を〝モラル判定機械〟に差し出して返事を待つかわりに、モラルに関するモジュール化された脳内チップと統合するという考えだ。このチップは意思決定に至る心のプロセスの一部をなしている。統合することで、機械が出力するのは、問題に直結する可能性がある結果で、関連する有用性や可能性やその他の警告などが点数化されることで、その結果は、高低さまざまなレベルの粒度《りゅうど》に及ぶ。

しかし、だからといって人間の機械頼みはやまない。やっかいな判断を迫られたとき、人間（そして、私の経験では政府関連部門）は、どんなに不十分でも、数字やデータにころりと影響されてしまう。数字は純粋にして正確、判断無用な解答だという思い込みが、人の判断力を麻痺させるのだ。アルゴリズムの場合、倍づけでそう見なされるのは、何百万という実例を抽出しながら、ロジカルで客観的に演算を進める計算機のように見えるからである。

認めたくなければそれでもいい。だが、私たちはすでに機械に頼ってモラル上の選択を行っている。数学者でデータ・サイエンティストのキャシー・オニールによる『あなたを支配し、社会を破壊する、AI・ビッグデータの罠』（インターシフト）には、そんな事例がいくらでも紹介されている。政策の決定、教員の評価、警察官の配備に関連するような重大な決定が、独自のデータとアルゴリズムを持ち、客観的で効率性を誇る企業に対して、事実上、アウトソーシングされている。こうした決定には無視できないモラル上の側面と結果が伴うにもかかわらずだ[18]。

この種の功利主義的発想が、やがて世界を覆い尽くす。私がその様子をイメージできるのは、功利主義的な発想は、データとAIにきわめて従順だからだ。だが、それでは取り返しのつかないことになってしまう。一見するといかにも客観的だが、アルゴリズムは、開発を担当した者が構成した問いからかならず演算を始める。その結果、アルゴリズムは開発者の偏向を再生する傾向からどうしても逃れられない。

最近のアルゴリズムはいずれも、カリフォルニア州北部で暮らす富裕な白人技術者によって開発され、所有されている。残念でしかたがない結果をすでに生み出したのは一度や二度のことではない。アルゴリズムは決して中立ではないのだ。一例をあげよう。

ある警察では、データモデルに従って警察官の配置を決めている。しかし、犯罪は貧困地区にどうしても発生しがちなので、勢いこうした地区にこれまで以上の警察官が配置される。その結果、対象地区の住民の検挙率が高まり、数値がデータモデルにフィードバックされていく。そして、不平等を拡大する自己永続的な繰り返しと、アルゴリズムに駆り立てられた不公正が醸成されていくのだ。

本当の落とし穴はこれだ。危うさは、お粗末な解決策を吐き出すコンピュータのなかではなく、実は外部にある。アルゴリズムが改善を図るにつれ、コンピュータは最善かつ、少なくとも人間の決定に比べれば、コストパフォーマンスにも優れた解決策を繰り返し生み出すようになる。その結果、コンピュータの不公平が目には見えないものであっても、私たちの生活において重要性をますます高めていく。

コンピュータによる診断が、人間の医師の見立てよりも正確だということが繰り返されれば、コンピュータの忠告をないがしろにするのは、倫理にもとることにもなりかねない。コンピュータが助言する警察官の配置案を受け入れれば、政府は経費を削減でき、犯罪を抑制できるのだ。たとえ長期の問題解決には至らないにせよ、その案を拒否するのは容易なことではないだろう。

誰に投票すべきかはアプリが教えてくれる

このような流れのなかで、国民の義務中の義務である選挙が影響を被らずにいられるのだろうか。実を言えば、選挙の際、候補者の決定を支援する便利なアプリが使われており、急速に広まっている。自分の意見と好みを入力すると、コンピュータがかわりに政党を選んでくれる。すでに五〇〇万人近くのイギリス人が「アイサイドウィズ」(iSideWith)という投票アプリを複数の選挙で使っている。市民としてもっとも重要な義務を、このアプリがどのような仕組みで実行しているのか誰も皆目見当がつかない。それにもかかわらず、五〇〇万もの人間がこのアプリを求めた事実について、気に病む者は一人もいなかった。

二〇一五年のイギリス総選挙に先立ち、私が働くデモスでは、「ベルト」(Verto)という同様なアプリの開発で方法論の設計を手伝った。当時、「これはすばらしいアイデアだ」と私たち全員は考えていた。私といえばことあるごとに、各政党が個々の問題についてどのような方針を唱えているのか、投票者が理解するうえで役に立つと触れまわった。しかし、いまはまったく反対の考えを抱いている。このアプリは目先の便宜を図ってくれるが、それは将来にわたる私たちの判断能力を蝕むという犠牲を伴うと固く信じるようになった。こんなものはことごとく捨て去らなければならない。

こうしたアプリを使うつもりなら、いっそ選挙権を丸ごとアルゴリズムに手渡したらどうだろう。投票者は自分の意向さえろくに把握できないことはよく知られている。民主主義の古典的な学説では、国民は知識を持ち、思慮深いと見なされているが、決定に至るまでの過程の点では、現実の民主主義はきわめて効率に劣る制度なのだ。私たち人間はあまりにもとりとめがないうえに、偏った認識だらけの頭のまま投票所へと足を運ぶ。

といって、自動的にタスクを実行する選挙ボットに任せたらどうなるのか。選挙ボットはこれまでの投稿メッセージをすべて洗い出し、当人の「いいね！」や友だちの「いいね！」などを残らず収集するだけではなく、何千という測定基準からデータをかき集める。そのなかには給料や住所、家族構成も含まれている。それから候補者全員について目を凝らし、投票者の利益にもっともかなう候補者を選び出してくれる。

――「Siri、教えて。ＥＵ離脱の投票には、行く必要があるのかしら」

「モラル・シンギュラリティ」の発生

ＡＩが人間より賢くなる可能性は、私たちがほとんど考えたこともない政治とモラル上の根拠の問題に深刻な影響を与えるようになるだろう（ここでいう賢さとは、データ駆動でさらに合理的な決定をＡＩが繰り返し行えるということで、かならずしも〝知《インテリジェント》的〟にまさるという意味ではない）。人間がこの種のコンピュータの粉砕を試みることをやめ、それが失敗に終われば、その後、モラル上の問題や政治に関して重大な決定をくだす場合、結局、最善の方法が自分たちにはわからないのだから、自分の考えには耳を貸さないほうが賢明だと諦めるようになる。もちろん、最初のうちはささやかで、これという不都合が生じない形でだ。

つまるところ、世界がそれほど複雑でひと筋縄でいかなければ、万事滞りなく進展させていくには、スーパーインテリジェンスがやはり必要ということになってしまうだろう。優れたシステムが別に存在するなら、重要な決定は人間が判断するという、モラル上の問題はどうなってしまうのだろうか。そして、そのとき民主主義はどうなるのか。もちろん、非効率的でいつもろくでもない選択を繰り返す、民主主義につきものの部分を除いてだ。

「技術的特異点《シンギュラリティ》」と呼ぶ問題について、未来学者はしばしば話題に取り上げる。シンギュラリティとはコンピュータの自己改良が一気に高まり、自己複製を始める地点のことをいう。未来学の大立者にして、まぎれもない天才、そして現在はグーグルで研究を進めるレイ・カーツワイルは、シンギュラリティは今世紀の中頃に起こると言っている(これに反対する者もいる)。

しかし、私の見るところ、それよりも早く、さらに高い確率で発生するのが、「モラル的特異点《モラル・シンギュラリティ》」と私が呼ぶ現象だ。モラルと政治に関する大部分の判断を、人間がコンピュータに委ね始める地点のことである。技術的特異点と同じく、モラルをめぐるシンギュラリティもまたこの地点に達したら、引き返せなくなるのも同じ理由からである。いったんコンピュータに頼ったら、絶対にやめられなくなるはずだ。

モラル的行為の当事者として、人が自らを頼みにできる限度は、モラルに関する判断を繰り返し行えるかどうかにかかっている。買い物や投票、子育てや選挙キャンペーンをはじめ、そうした判断は数え上げればきりがない。なるほど、こうした選択は偏見や過ちによって分裂してしまう場合も少なくないので、コンピュータによる決定はそれだけ魅力的にも思えてくる。

だが、善悪をめぐる判断能力は、良識と証拠、モラルを踏まえた検討を何度も繰り返すことでしか改善させられない、なんともやっかいな課題なのだ。市民は警戒心と自覚を持ち、困難だが、やりがいのある多種多様の課題に従わなくてはならず、同時に自分たちが負っている影響についても知恵を絞って考えなければならない。これは、幸いにも民主主義という制度のもとで暮らす全市民に課された義務にほかならない。

アルゴリズムがさらに進化の速度をあげ、ますます性能を高めていくことで、手軽さや速さ、あるいは無知を理由に、こうした煩わしさから逃れたい思いはますます募っていくだろう。その衝動に屈するのはたやすいが、しかし、そんなことになれば私たちは自由に考える能力を手放さざるをえなくなり、コンピュータへの依存はますます深みにはまっていく。

ひと筋縄ではいかない判断では、へまばかりを繰り返してきた私たち自身を踏まえると、結果はアルゴリズムに任せたほうが賢明でもあり、痛みも少ない社会になるかもしれない。だが、そのような場所を民主主義と呼ぶわけにはいかない。

第2章 「部族」化する世界

◉つながればつながるほど、分断されていく

情報の過負荷と接続性によって、怒りに満ちた部族政治《トライバル・ポリティクス》は対立を深めてきた。部族政治では属する集団への忠誠、そして他者への怒りが、理性や妥協よりはるかに上位に祭られている。だが、政治には歩み寄りがつきものとはいえ、度を超えた協調はむしろ危険だ。そして、新たな情報媒体に合わせて進化を遂げていく政治指導者たち——かくしてポピュリストが勃興してきた。彼らは市民の感情に訴え、完璧な結論ですかさずこたえてくれる。錨をなくし、混乱した市民が繰り返す部族同士の戦い、これこそ全体主義の前兆にほかならない。

一九六〇年、著名な研究者にして、ポップカルチャーの謎めいた理論家として知られたマーシャル・マクルーハンは、従来のシステムやアイデンティティーは、来たる電子メディアの時代とともに衰退に追い込まれると予言した。その結果、かつての部族社会がこれまで以上の勢いを得て回帰するだろうと語っていた。縫い目なく広がるこの情報の網を〝グローバル・ビレッジ（地球村）[1]〟とマクルーハンが呼んでいたの

は有名だ。当時、多くの人がこの考えを支持していた。

シリコンバレーでは、マクルーハンはいまだにインスピレーションの源泉である。独創的発想の指導者の一人にして、テクノロジー革命の知的なロックスターの一人なのだ。パロ・アルトやマウンテンビュー、クパチーノ界隈では、いまだに〝グローバル・ビレッジ〟がこだましている。「グローバル・コミュニティー」「トータル・コネクティビティー」と話しているのを聞くたびに、そこに現れているのはマクルーハンの亡霊だ。「さまざまなバックグラウンドを持つ人たちが容易に結びつき、その考えをシェアできるようにすることで、短期間はもちろん、長期間に及ぶ争いをなくしていける」とマーク・ザッカーバーグは、創業したばかりのころ、自身のサイトに書き込んでいた。

マクルーハンは偉大なる預言者だった。あまりにも賢明なので、言い逃れができる道など残しておかなかった。すべての人があまねく結びついた世界においても、争いと不調和が生じるかもしれないと語っていた。なぜなら、四六時中、情報化されたもとで人々は混乱に陥り、その結果、大規模なアイデンティティークライシスに火がついてしまう。

「今日私たちが知るような民主主義政治が終わりを迎える日――」。一九六九年、雑誌「プレイボーイ」のインタビューにマクルーハンはそうこたえた。「電子メディアによって、人類が部族ごとにまとまるにしたがい、私たちは一人残らず、あわてふためく臆病者《チキン・リトル》になりはて、以前のアイデンティティーを探し求め、狂ったようにあたりをかけずりまわり、その過程でとてつもない暴力が解き放たれていく[2]」

だが、企業のCEO、広告で商品を推薦する有名人、利害関係者、創成期のハイテク技術者、そして政治家たちは、いずれもマクルーハンの指摘に耳を傾けようとはしなかった。この手のタイプの人間は、とてつもない暴力ではなく、楽観主義のほうを大いに好んでいるからである。

怒りを共有し「部族」として結束する

民主政治は騒々しいのが常態で、鋭く敵対する場合も少なくはなかった。イラクやベトナムでの戦争、小規模だったとはいえ一九八〇年代の軍事衝突を思い返すといい。とはいえ、時には怒りの火種があったにせよ、概して言えば、第二次世界大戦以降の民主政治は礼節と共通理解によって特徴づけられてきた。

しかし、ここ数年、政治的不調和の性質が変わりつつある。すっかり部族化してしまったのだ。過剰に党派的になってしまった。その特徴は、時には指導者を崇拝するなど、集団に対するなみなみならぬ忠誠と、自身の不手際には目をつむりながら、敵対者の失敗はことさらあおり立てる傾向、敵対者との妥協に対する嫌悪などによって特徴づけられる。政治がスポーツのようになりつつある。イギリス労働党のコービンとアメリカのトランプの支持者たちは比べられるのを嫌がるだろうが、両者とも、政治の商品政策化《マーチャンダイジング》、歓呼する支持者、勝利の掛け声、偉業の記録を祭り上げていることは心に留めておく必要がある。

マクルーハンが予言したように、私たちはいま、政治的にふたたび部族として結束《リ・トライバリゼーション》する日々を生きている。部族としてふたたび結束と私が言ったのは、部族的な忠誠心とアイデンティティーは、現代の政治よりも、はるかに長い時代にわたって人類の存在を特徴づけてきたからだ。かずかずの内戦を通じ、私たちは、集団に帰属する必要性が人間に深く根差していることを十分すぎるぐらい学んできた。

心理学者は、群衆に宿る不条理について以前から発言を続けてきた。チャールズ・マッケイ（一九世紀のジャーナリストで、ギュスターヴ・ル・ボンの群集心理に先立って群衆の狂気を論じた）は、「（人間は）集団で考えることで（略）一気に狂気に駆り立てられ、今度は時間をかけ、一人ずつ正気を取り戻していくように見えた」。初期の間接民主主義の提唱者、とりわけアメリカの建国の父たちが恐れたのは、暴徒と化した庶民の激情だった。提唱者は歴史を振り返り、「激情あるいは利益に対する庶民の欲求は、他の市民の権利に反するもの」であり、「モラルが破綻したもとにある国民政府は、いたるところで破綻を繰り返してきた」[3]。

支配者階級には珍しくないことだが、その一方で建国の父たちは貧民を恐れていた。しかし、老獪でもある彼らは、民主主義が携えているリスク、つまり、群衆が抑制のきかない感情にかられて突っ走り、無知で身勝手な衆愚政治に変わっていくことを知っていた。彼らは用意周到に代議制を設計した。権力の抑制とバランス、そして定期的な選挙を通じて権限を移譲し、さらに選挙によって大衆の混乱と怒りを抑えるのだ。

ツイッターを五分も見ていれば、チャールズ・マッケイの定義に、誰もが納得できるはずだ。しかし、いまどきの技術者は、大衆は狂気をはらんだ、顔のない群衆であるとは信じようとしない。批評家ハワード・ラインゴールドの『スマートモブズ』（NTT出版）のように、大衆はむしろ賢くて公平、のべつ幕なしに「クラウドソーシング」ソリューションとか「群衆の知恵」といった言葉を口にする。彼らは〝集合精神《ハイブマインド》〟の信者なのだ。群衆はたしかに賢明だが、それはあくまでもコンピュータのバグを修正する程度の技術上、大して価値のない問題を解決する程度の話にすぎない。事が政治になれば、話はまったく違ってくる。[4]

たがいに殺し合うことにかけて、人間が十分すぎるほど達人であるのは、アイフォーンが登場するはるか以前からこの世には政治が存在していたからだ。しかし、シリコンバレーの連中は、全情報によるグローバル・ビレッジとコネクティビティーを探す能天気な冒険の途中、近代の間接民主主義が作り上げた檻から、それと気づかないまま部族主義を解き放っていたのである。

断片化されていく時代

過去数十年において、政治の世界で起きたもっとも重大で、しかも前触れなく唐突に起きた変化は、限られた情報量の世界から、情報があり余る世界への変化だった。私たちが利用できる情報は、いまや人の能力をはるかに超えている。いかなる体系化の原理や意義、分類体系にカテゴライズできる世界一の整理された頭脳でさえ、どうにかできるものでもない。私たちが生きているのは、圧倒的な情報オプションを備えた断片化《フラグメンテーション》の時代なのだ。

この事実が政治に与えた影響は、何度も繰り返されたことで、いまでは見慣れたものになっている。既成の主流メディアのニュースが解体され、ニセ情報の急増によって、偏った個人の先入観に合わせてニュースソースを自分の都合通りに改編できるようになった。[5] 無限のコネクティビティーに目を向ければ、自分と同じような人間や考えを見つけ出し、ともに群れることができる。これらを意味する新語として「フィルターバブル」「エコーチェンバー」「フェイクニュース」が私たちの語彙に加わった。二〇一六年、オックスフォード英語辞典が今年の流行語大賞として「ポスト真実《トゥルース》」を選んだのは決して偶然ではない。

わずか一語で複雑な現状が説明できるので、「ポスト真実」はなかなか使い勝手がいい。ある種の仲間内では、インターネットの虚報に踊らされ、ブレグジット（EU離脱）やトランプに投票した愚かな労働者について語る際に使われる、いささか人を見くだした新たな決まり文句となっている。しかし、私の経験からすると、非合理的な影響を受けやすいということでは、立派な教育を受けた者のほうが人後に落ちない。たいていの場合、こうした人たちは自身の理性や意思決定の能力について、あまりにも買いかぶりすぎているからなのだ。*

ネットによって「知らなかった怒り」を知る

インターネットが原因で政治上の帰属意識に起きている事態は深刻で、この選挙はどうだった、あの選挙はどうだったの比ではない。政党問題より深刻で、エコーチェンバーやフェイクニュースよりもはるかに重い意味を持つ。デジタルコミュニティーが変えつつあるのは、政治理念に対する私たちのかかわり方であり、政治主体として私たちが自分をどのように理解しているのかという、その根拠にほかならない。

＊ 協調関係について書かれた最近の本によると、政治にとりわけ深い関心を寄せ、知識を持つ人たちこそ、自分の考えに適合させるため、事実を都合よく解釈しがちだという。

ネットフリックスやユーチューブの登場で、大量の視聴者を抱えていたテレビは、たちどころに拡大した個別の選択肢に取って代わられた。そして、ネットを介した完全なつながりと過剰な情報は、気の遠くなるような数の政治的選択を提供してくれる。その結果が唯一無二の安定していたアイデンティティー——たとえば政党の党員——の断片化であり、同じ考えを持った者同士の小規模な組織への乗り換えだった。[6]

ネットでは、希望するどんなタイプのコミュニティーでも見つけられるし、なければ自分で立ち上げられるので、志を同じくする何千もの人が結集することでつながっていられる。怒りを覚えたときには自動的に——往々にしてアルゴリズムによって——同じような怒りを抱えている者が見つけられる。社会学者が「同類性」と呼ぶものであり、政治学者は「アイデンティティー政治」と呼んでいる。世間では「類は友を呼ぶ」と言っているが、私は「再部族化行為《リ・トライバリゼーション》」と呼んでいる。

人間が群がるのはごく自然な反応で、何度も実証されてきた性向だ。とはいえ、この場合、鍵となるのはさらに可能性に富む結びつきで、これまで以上に精選され、めりはりのきいた集団とひとつになるチャンスが大いに増した点である。

政治的に結びついた最近の部族として、二〇一五年のイギリス労働党党首選の際、ジェレミー・コービンを支持したモメンタム、アメリカのブラック・ライブズ・マター（黒人の命は大切だ）運動、大統領選でトランプを支持したオルトライト（オルタナ右翼）、イギリスの極右団体イングランド防衛同盟（ＥＤＬ）、極左のアンティファ（アンチ-ファシスト）、絶対菜食主義の過激なビーガニズム、そして二〇一六年のアメリカ大統領選の民主党候補者バーニー・サンダースを支持した#フィール・ザ・バーン（バーニーの情熱を感じろ）などがあげられる。

　私が言いたいのは、こうした集団はどれも同じということでもなければ、訴えることに何も意味がないとか、思慮深い議論を交わす能力を持ち合わせていないということではない。彼らは部族だということにすぎない。同じ意見を持つ者同士の集団を、やる気満々のひとつの部族に変えていくものこそ、ともに闘う意識であり、共通する不平の意識なのだ。そして、不平の種の貯蔵庫ということでは、インターネットは人類史上、もっとも巨大にして品ぞろえも豊富だ。

　あなたがトランス・ジェンダーなら、ぞっとするような犯罪統計を見て、自分たちに向けられた暴力に対する怒りを共有することができるだろう。

　あなたが有色人種なら、生涯でものにできるチャンスはごく限られていることを調査データは示している。

　あなたが労働者階級の白人なら、あなたたちの仲間は大学進学率がもっとも低く、自己の主体性に関する認識が最低であることが研究によって明らかにされている。

　あなたがイスラム教徒なら、最後には投獄される可能性はさらに高まる。

あなたが中流階級に属しているなら、最近三〇年間のグローバリゼーションの結果、賃金は前例のないレベルまで下降したことが学術調査でわかっている。

あなたが女性なら、賃金はいまだに男性よりも低く、性差別に直面することも少なくない。

あなたが男性なら、逆差別を受けるかもしれず、また女性よりも平均寿命は短く、自殺によって死亡する確率はさらに高まる。

こうした問題を軽んじるつもりはまったくない。以上の話はいずれも事実であり、まぎれもない問題を反映しているからだ。要するに問題は、現代においては人を問わず、誰もが虐げられたり、激昂したり、あるいは抑圧されたり、脅かされたりしていると感じて当然の理由を山ほど抱え込んでいる点だ。生活がうまくいっていようが関係ない。こうした感情をきっかけに、総じてごく普通の生活を送っていながら、集団に対して強い帰属意識と連帯意識を覚えるようになる人がいる。その集団とは、自分がいかに抑圧されていたのか、ネットの記事を読むようになるまで、考えたこともなかった人たちの集団である。*

ここ数年、さまざまな情報や理屈を抱えながら、私たちは部族へと後退していった。インターネットによって、部族を作ったり、あるいは見つけたり、参加したりする道が開かれてきた。その部族とは、はたして自分がそこに属しているのか実感できないほど小所帯だが、その証《あかし》を詰めこむことで帰属意識を高めてきた。そんな現場を私は始終目にしている。

私自身は三〇代の白人男性で、総合制学校に通っていた。それ自体はとりたてて人目を引くものではない。だが、ネットで調べていくうちに、総合制学校を卒業した白人労働者の青年は、仕事の習熟度が最悪で、自殺率も高止まりしているといった記事を読むにつれ、自分もこの部族の一員だという思いを深めている。部族主義は受け入れやすいものではあるが、最後には民主政治を台なしにしていく。人々のあいだに存在する小さな差異を押し広げ、ついには乗り越えられないほど巨大な隔たりに変えてしまうのである。

＊　部族、アイデンティティー政治、インターネットという三者の関係に、ほとんど誰も言及しない事実にはやはり驚きを隠せない。多くの人がアイデンティティー政治に怒りの文章を書き込むが、インターネットがアイデンティティー政治をあおっているのかどうかという問題が問いただされることはめったにない（実は、アイデンティティー政治を批判する者の多くが、言論の自由を支持する自由至上主義者《リバタリアン》で、表現の自由にインターネットがまちがいなくひと役買っていることから、その批判には乗り気ではないと私はにらんでいる）

直感的で感情的で本能に従って行動する

書き言葉、つまり、活字人間は静かで、クールで論理的だとマクルーハンは言っていた。注意深い分析に基づき、彼は物事を順序立て、それらを分類していた。情報を伝達するメディアについても考え抜いていた（有名な「メディアはメッセージである」というテーゼはその成果だ）。書き言葉に比べ、電気による情報、とくにテレビは聴覚に訴える（マクルーハンの時代、テレビはインターネットに相当した）。それは音と画像であり、さらに総合的な感覚の経験である。読み書きする人間が知性的なら、電気のメディアを好む人間は感情的で、聴覚や触覚などの感覚に依存しているとマクルーハンは説いた。

テクノロジーは人の振る舞いをどう変えるのか、五〇年前にマクルーハンが予見した〝探針《プローブ》〟（マクルーハンは自身の考えを探針と呼んでいた）は、いまでも洞察の深さの点では変わらず、〝刺激的な〟ＴＥＤトークのプレゼンテーションなど比ではない。だが、マクルーハンは科学者ではなかった。検証のための研究を深めて仮説を立てたわけではない。

幸いにもそれを行ったのがダニエル・カーネマンで、人の意思決定にうかがえる偏り《バイアス》に精通していた。何十年にも及ぶ実証研究を通じ、カーネマンは共同研究者エイモス・トベルスキーとともに、意思決定——とりわけ非合理的な決定の研究を切り開いた。

フィリップ・ジンバルドーの「スタンフォード監獄実験」や「最後通牒ゲーム」についてここで改めて紹介をするつもりはない。だが、カーネマンの研究の主なポイントは、人の行動には「システム1」と「システム2」という二つの基本システムが存在しており、このシステムが人の行動をつかさどっているという。「システム1」では、思考はすばやく、直感的でしかも感情的だ。いわば爬虫類脳であり、本能に従って反応する。これに対し「システム2」では、思考は遅く、検討を重ねて論理的でもある。[7] かならずではないが、激情に駆られた際、しかるべき抑制として機能する場合もある。

今日の民主主義は、「システム2」の論理に基づいて運営されることを望み、理想とされる市民はマクルーハンがいう活字人間だ。民主主義の諸制度はロジカルで、事実主導の決定に達するように整えられている。これに対してインターネットは、「システム1」にきわめてよく似ている。誰であろうと、何事であろうと、いずれも刹那的で本能的で、しかも感情的でもある。

ものを使うとはどういうことなのか。それに関する新たな発想を、インターネットは肝心な二点から、繰り返し教え込んでいる。一番目は、ネット上では対象の別なく、スピーディーにアクセスでき、しかも個別化できるという点だ。あらゆるもの、あらゆる人たち、何百万というページにアクセスでき、目指す目的という目的、それが赤ん坊の写真であってももれなく接続が可能だ。しかもすべて無料。画面を拡大したり、縮小したり、スワイプやタップすれば、顔もよく知らない、遠縁の親戚ともおしゃべりできる。

二〇一三年刊行の『いまそこにある衝撃』（*Present Shock: When Everything Happens Now*／未邦訳）で著者のダグラス・ラシュコフは、現在の世界では「いついかなる瞬間でも、私たちがいまやっていることがきわめて重要になっている」と説明している。この点をよく考えてほしい。かつて私たちは、写真の出来がわからないまま、先週撮影した写真を受け取るために列に並んだ。消費者としての私たちの生活を特徴づけていた自由と選択と、飽き飽きするほど手間の掛かる政治の世界と妥協は、いまとなってはますます断絶を広げていくばかりだ。

一例として、心に留めておいてほしいのは、ＥＵからのイギリス離脱に反対する多くの人たちが、心の理論さえ未発達な、頑是ない子供のような言葉遣いをして、妥協を拒んでいた点である。「私は賛成に票を入れなかったのに、なぜ私がこの結果を受け入れなくてはならないのか。私はこの国をもとのようにしたい*」

ノイズの意味を理解する簡単な方法

第二に、インターネットはもともと感情的なメディアだが、大半の技術者にはこの点がどうしても理解できない。速さと感情が関係してくるのは、双方とも限りある人の脳が、情報過多とコネクティビティー全体を処理するための手段であるからだ。自分の考えをまとめ、意思決定をくだすうえで、市民が情報を必要としているのはまぎれもない事実で、民主的な形態のメディアにも多くのメリットがある。だが、現

＊　ここでひとつの予想が成り立つ。今後登場する新しいポピュリスト政党は、支持者に対し、国民投票をさらに実施し、デジタル投票の導入を公約するはずだ。彼らが言うには、これはエスタブリッシュメントに対する一般人の批判で、時間ばかりかかって、腐敗した〝システム〟を打破する新たな形として歓迎されるはずだ（人々が本当にそれを好んでいるのかどうか、彼らにとってどうでもいいのは明らかだ）。実際、デジタル・テクノロジーの必然の結果として、国民投票をさらに実施せよという声は総じて高まっていくだろう。安全で手間も省けるという電子投票の掛け値なしの見通しによって、週ごとに国民投票が可能となる道が開かれていく。だがこれは、きわめて魅力的な罠で、「システム１」の政治の台頭をますますあおるだけになる。ブレグジットの投票やスコットランド独立の住民投票から、なにがしかの教訓が得られるとすれば、次の二点だ。争点がひとつに絞られた国民投票は、①問題に事実上の〝決着〟をつけることはできず、②妥協点を探るために歩み寄るかわりに、国民を二分させてしまい、人々のあいだに不和が生じる。

代の市民に期待されているのは、常軌を逸したように流れ込む各種の情報をふるいにかけることなのだ。検索、ネットワーク、友だち申請、クレーム、ブログ、データ、プロパガンダ、フェイクニュース、調査ジャーナリズム、グラフそしてまた別のグラフ、解説、ルポルタージュなど情報の奔流だ。混乱もするし、ストレスも多い。

そこで頼りにするのが、こうしたノイズの意味を解明する、簡単でヒューリスティックな方法だ。つまり、これまでの経験や知識をもとに蓄えた選択肢のなかから、直感的に情報を判断するのだ。認知心理学でいう〝確証バイアス〟である。人間には、すでに認めている枠組みに従って情報を理解し、同じ考えを持つ者に囲まれ、これまでの世界観と相容れない情報は避けようとする傾向があることが立証されている。

同じように、世の中もまたノイズでひしめいているので、感情面ではネットへの弾みがついていき、生真面目で思慮深いコメントや話を読み込むよりも、シェアやリツイートへの傾向がますます高まっていくことが繰り返し報告されている。たとえば二〇一六年のアメリカ大統領選の終盤では、選挙の動静に関するまがいもののニュース記事がフェイスブックに投稿され、「ニューヨーク・タイムズ」や「ワシントン・ポスト」などの冷静な分析よりも広範にシェアされた。だが、こうした記事はいずれも人の判断を誤らせたり、感情的であったり、怒りや悪意に満ちていて、事実とは違っていた。[8]

この問題はインターネットが生み出したわけではない。私たち人間がつねに関係して、人の感情によってかき立てられてきた問題である。リベラル派が読む新聞は「ガーディアン」か「ニューヨーク・タイムズ」が相場で、保守派なら「テレグラフ」か「ウォールストリート・ジャーナル」と決まっていた。だが、インターネットによって、こうした関係もがらりと変わった。それだけではない。二〜三年のうちに画像処理技術は迫真のリアリティーを持つようになり、誰にでも利用できるものになるだろう。有名人の画像を使い、自分の望み通りに相手が〝話す〟ことが可能になり、しかも本物と見分けもつかない。

ドナルド・トランプが「私はクー・クラックス・クランの秘密会員だ」と語る動画や、ジョージ・ソロスが反民主主義のクーデターをもくろんでいる動画が広まっていくのだろう。

「われわれ」こそが正しく、「彼ら」は邪悪で腐敗している

部族主義と「システム１」思考は、情報過剰時代の申し子だ。分裂と不協和のままであるほうが、両者にとって理想的な状態である。部族政治にとって対立状態が続くことは、本質的にまったく問題ではないのだ。民主主義においては、ある程度の妥協は必要で、むしろ望ましいことでもある。[9] しかし、妥協が最優先された場合、意見を

戦わせつつもたがいに歩み寄ることができなくなる。そうなれば民主主義は破綻する。理性と論争は、感情と部族への盲目的な忠誠の前に膝を屈する。

対立する相手がどのように宿敵へと変わるのか、この過程を理解することは、現在の民主主義が直面している最重要問題のひとつだ。極右団体「イングランド防衛同盟（EDL）」のリーダーだったトミー・ロビンソンが、この変化がどのように発生し、それを引き起こすうえでインターネットがどんな役割を果たしたのか、それに関するまたとない例を提供してくれる。二〇一五年から翌一六年の数週間、私はトミーのあとについてヨーロッパを横断した。いっしょにいるときのトミーは、ツイッターを繰り返しチェックして、支持者たちとシェアする、格好の話題を探していた。

二〇一七年一二月一七日——この日は任意に選んだ——のトミーのツイッターには次のような話があげられていた。「イスラム教徒がゲイの男性を襲撃。ウォルサム区ではゲイは歓迎されていないと被害者は語った」（イブニング・スタンダード）。「シーク教徒、パキスタンの高官からイスラム教への改宗を説かれる」（ラブワー・タイムズ）。「イタリアのある町でクリスマスツリーが撤去される」（ボイス・オブ・ヨーロッパ）。「大規模テロの脅威のもと、ルートンの中心街をパトロールする武装警官」（ウエストモンスター）。「ソマリア難民、ソマリア国内に在住しながら、イギリスに対して福祉手当を要求する」（ミラー）。「元テロ対策本部長、クリスマス前のテロ攻撃を予測」

(デイリー・メール)、「双子の爆弾テロ、パキスタンのバローチスターン州都クエッタの教会を攻撃」(ロイター)、「長引くテロへの脅威から、キングス・カレッジ・チャペル恒例のクリスマスキャロル・サービスに出向く長い行列も途絶える」(テレグラフ)などである。

多くの場合、トミーがシェアするのは意図して作った話ではない。大半は権威ある主流メディアに掲載された記事であり、実際に起きた事件を報じている。ただ、新たな記事に仕立てる能力——ひとつの問題を何度も読み込み、何千もの人間に発信していく——は強烈な影響力を帯びている。学者のジョエル・ブッシャーは、EDLに一六カ月間張りついて調査した。彼の話では、EDLの支持者はこうした話をつぶさに理解するため、ある種の〝枠組み《フレーム》〟を使って、それぞれの話ごとに特有の言葉をタグづけしているという。たとえば、〝西側とイスラムの不和〟や〝文化マルクス主義〟が一般生活を支配するもとで、〝二重構造〟のシステムが、イギリスの白人と対立している。

こうすることで、単なる事件の話は、自分たちが直面する不公平の問題に変わり、その意味を説き明かすために使われることで、感情的な反発がかき立てられていく。[10]イスラム教に関する肯定的な話を持ち出すことで、このような流れを相殺したり、これらが例外的な意見だと変更を迫ったりしても、結局は否定の海に押し流されるか、プロパガンダだとされてしまう。リベラル派のジャーナリストも、真実の話として受け入れようとはしない。[11] ひとつの問題について、トミーは時間をかけて読み続けた。読み込めば読み込むほど対立者は、意見の相違を認め合う単なる一人の人間ではなくなっていく。問題とその答えがこれほど歴然としているのに、どうして彼らは変わることができないのか。

歴然たる問題は山ほどあり、答えも手が届くところにあるのに、それでも変わろうとしない対立者は、支離滅裂なただのおしゃべりか、それとも陰険なマキャベリスト、あるいは人の苦境を理解しない迫害者ということになる。そして、現実的な問題をめぐる意見の不一致は、純粋か不純かという問題を巻き込んでいく。この時点で交渉の余地は消えてしまい、双方で忠誠心を剝き出しにした争いに変じる。〝われわれ〟こそ正しく純粋で、〝彼ら〟は邪悪で腐敗している。[12]

このような敵対的な偏向の兆しが、世界のいたるところで姿を現しつつある。それは政治的に異なる考えを抱いているという事実にとどまらず、モラルをめぐる断絶がますます深刻化している兆しでもある。イギリスの世論調査会社ユーガブによると、EU残留に投票した若者の四分の三は、老人は偏見に満ちていると考えていた。EU離脱に投票した老人の四分の三もまた、若者は働く資格があるのに、働こうとしないという思いを抱いていた。

アメリカでは、反対政党の支持者に対する〝きわめて好ましくない〟意見が、一九九二年から二〇一四年にかけて二倍以上に増え、二〇一六年には国民の半数前後が、自分たちのことは棚にあげ、対立政党の支持者は「偏狭だ」と考えていた。[13]かつては謹厳を旨とした新聞だったが近頃では、裁判官は「国民の敵」とか、信念ある下院議員は「妨害工作を企む者」などという見出しを掲げるようになった。言うまでもなく悪循環に陥っているのだ。

ネット上の論争が許容しうる意見の不一致から、抜き差しならない公然の非難へと瞬く間に変わっていった事実に、気がついていただろうか。私の記憶では、二〇一六年のEU離脱の是非を問う国民投票のころは、残留と離脱に投票した人たちは、いっしょに夕食のテーブルにつけるほど双方おおむね友好的だった。もちろん意見は異にしていたが、少なくとも相手の話に耳を傾け、たがいに理解しあおうと試みていた。しかし、これがネットとなると、残留に投票した者は、独善的でエリート意識丸出しの〝離脱決定拒絶派《リモーナー》〟として姿を一変させた。離脱支持派《ブレギジター》もまた無責任な移民排斥論者で、憎悪に満ちた愛国主義者になっていた。

もう一度繰り返えそう。インターネットのコミュニケーションが、問題をあおり続けているのだ。対立する考えと意見との接触は、差異の克服にひと役買うと、論争の役割についてリベラル派は期待を寄せる。しかし、何十年にもわたる研究を通じ、人の心を変えるなど、おいそれとできるものでないことが判明している。「信念は猛スピードで走っている車のようなもの」と書いたのは、神経科学者のターリ・シャーロットだ。「満足と幸福に影響するのが信念だ（略）。私たちは、自分は強くて正しいと感じられる情報で心を満たし、逆に混乱と不安を覚える情報は避けようとする」

相反する事実に直面したとき、私たちの大半がますます自分の信念に固執するようになる理由こそこれだ。その好例こそ、ドナルド・トランプの選挙だったのは知っておいてほしい。トランプに関する否定的な事実確認が行われていたにもかかわらず、選挙の結果に影響することはほとんどなかった。[14]

不都合な結果を報告する研究もいくつかある。二つの集団が論争すると、開始時に比べ、最終的にさらに極端な見解を抱く例がしばしば見られるという。[15] なぜそうなのか、正確な理由についてはよくわかっていない（これは人の協調を育むために進化した特質、ある種の身内びいきの〝マイサイド・バイアス〟であると指摘する研究もある）。もちろん、ある条件のもとでなら、私たちも考えを変えることがあるし、実際に変えもしている。討論についても入念に組み立てられ、委曲を尽くした内容で、相手の物の見方や考え方やあるいはバックグラウンドを踏まえたものであるなら、相手の考えを変えられるのかもしれない。[16] しかし、手間暇がかかる手順であるのはまちがいない。

残念ではあるが、こうした手続きをデジタル・コミュニケーションはめったに許してくれない。ライバルや対抗者とのやり取りは瞬く間に交わされ、束の間であり、感情的にも一気に高まるのが普通だ。したがって、理解の改善を図るどころか、正反対の結果となる場合のほうが多い。二〇〇一年、サイバー心理学者のジョン・スラーは、オフラインのときとは打って変わり、インターネットの対話中になぜ社会のルールや規範を無視してしまうのか、それを許す要因をいくつかあげて理由の解明を試みた。

その理由とは、私たちは、対話している相手が誰なのか知らなければ、会ったこともないからである（相手もまた自分が誰かを知らなければ、会ったこともない）。ネット上のコミュニケーションは刹那的で、一見するとルールや説明責任が存在しない。すべては代替現実のように思える世界で起きている。以上の理由から、実生活では決してしないような行動に出てしまうのだ。スラーはこれを「有毒性脱抑制」と呼ぶ。エコーチェンバーやフィルターバブルに関する説明がどれも見逃している点である。

インターネットは小規模な部族を生み出すだけではない。同時に、敵対する部族にも容易にアクセスできるのである。私自身、どこを探しても目にするのは私に対する反対意見だ。こんな見解で自分の考え方が変わったことなどない。むしろ、バカがひしめくネットの大海で、唯一まともな人間は自分一人だけだとますますそう思うようになった。

自己正当化が無限に増幅されていく

こんな状況に至った理由の大半は、テクノロジーというより、人間の弱さに由来するので、なんでも巨大テクノロジーのせいにするのはフェアではない。たしかにテクノロジーで人間の弱みは加速されるとはいえ、その責任は人間の側にある。インターネットが出現する以前の日常を理想化してはならないだろう。人間はかならず群れるものだし、政治はつねに対立してきた。人心操作と嘘は政治にはつきものだ（三三代大統領ハリー・トルーマンは、かつてリチャード・ニクソンをこう評した。ニクソンは「役立たずの嘘つき男だ。その口から出てくるのは嘘ばかりで、たまに本当のことを言おうものなら、嘘に磨きをかけるため、またせっせと嘘を言いふらす」）。

しかし大手テクノロジー企業は、この心理学的弱点を新たな消費を生み出す構造的な機能に変え、利益を得るために巧みに利用してきた。利益をめぐるインセンティブは、時に民主主義と真っ向からぶつかった。きちんとした情報が国民に伝達され、正確な情報源や理念が手広く利用できる環境が民主主義には不可欠だからだ。いずれのソーシャルメディアも、自分たちは〝プラットフォーム〟というインフラであって、物申す〝パブリッシャー〟ではないとくどいほど言い張る。

つまり、自分たちが扱っているコンテンツに対し、彼らは新聞社のような法的責任を負っていないと言ってる。フェイスブックやユーチューブのような企業にとって、このような保護措置（EU法の「単なる導管《ミア・コンジット》」として知られる条文）がことのほか重要であるのは、この保護がなければ、自社サイトにアップされた何十億という投稿を、なんらかの方法でチェックしなくてはならなくなる。

対立をあおり、判断を欺くコンテンツの一掃に彼らが手をこまねいていれば、立法府によって、彼らもパブリッシャーのように振る舞い、また、そのように振る舞うよう規制がかけられるかもしれない。そうなれば、彼らもこのジレンマから公然と逃れることはできなくなる。

しかし、中立とは、ある種の編集上の判断のはずだ。ソーシャルメディアの記事もチェックされているが、生身の編集者ではなく、たいていの場合、なんとも摩訶不思議なアルゴリズムが監視している。こうしたアルゴリズムは、ユーザーがクリックしがちなコンテンツを提供できるようにデザインされている。それは、コンテンツとともに、広告を売り込める可能性が狙いだ。

一例をあげるなら、ユーチューブの「ネクストアップ」で表示される動画は、ユーザーをとりこにする最適な動画について、想像を絶するほど精妙な分析をベースに選定されている。ユーチューブでレコメンダシステムを設計していたAIスペシャリスト、ギョーム・チャスロットによれば、このシステムのアルゴリズムは、「何が真実か」あるいは「何が公正か」という基準ではなく、視聴時間によって最適化されているという。「それ以外のものはなんであれ、邪魔物と見なしていた」。最近受けた「ガーディアン」の取材でチャスロットはそうこたえている。[17]

こうした〝非決定〟に基づく決定が多分に暗示するのは、軽度の確証バイアスでさえ、自己永続性の循環に陥ってしまう可能性だ。左翼政治に関するリンクをクリックしたとしよう。アルゴリズムはこのクリックで左翼政治に関心を持つと解釈し、関連リンクをさらに表示する。目前に選択肢があれば、相手がもう一度クリックする公算がますます高まる。そして実際にクリックすれば、またもや別のサインとして受けとめられる。

チャスロットが退社後に行った調査によると、対立をあおる内容の動画が増えるよう、ユーチューブが組織的に取り組んでいるという話だが、こんなことはユーチューブも認めはしないだろう。ただ、公平を期すために触れておくなら、私が会った関係者は誰もこんなことは喜んでいない。ここ二〜三年、会う人会う人がこれは問題だと認め、改めることを約束していた。しかし、本当の問題は、意図して扇情的な動画になるよう、プログラムされていない点にこそある。これは、インパクトがあり、神経が高ぶるような動画を好む人間の傾向に対する、単なる数学的な反応でしかないのである。

これは人を映す鏡であり、乗数によって急増していく。つまり、ビッグデータによって繰り返される、巨大なフィードバックの無限の自己増強なのだ。データを入力すれば、当のデータを複製した結果がアウトプットされる。新聞もインパクトとセンセーションはつねに利用しているが、アルゴリズムが最近発見した人間の傾向に、新聞はずっと昔から気がついていた。しかし、両者の違いとは、新聞社は発行した印刷物の内容に法的な責任を負い、市民もあらゆるメディアには編集上の責任者がいることを了解している。ニュートラルな印象は与えるものの、アルゴリズムには責任の取りようはない。それでいながらユーチューブのアルゴリズムだけで、一五億のユーザーが見たがっているものを具体化している。その数は世界中の新聞の発行部数の総計よりも多い。

トランプこそは「部族政治」の立役者

一九六〇年九月二六日、この日を境に政治は永遠に変わった。当日の夕方、白熱する合衆国大統領選挙討論会において、どちらかといえば無名の上院議員にすぎなかったジョン・F・ケネディは、副大統領のリチャード・ニクソンに論戦を挑んだ。ラジオで論戦を聞いた者はニクソンに軍配をあげた。

しかし、この論戦は、はじめてテレビが使われた選挙討論会だった。一九六〇年時点でアメリカ国民の八八パーセントがテレビを保有、一〇年前の一九五〇年はわずか一〇パーセントにすぎなかった。ラジオの聴取者とは異なり、テレビでこの討論会を見ていた国民は、新顔のケネディが、汗まみれで顔色もさえないニクソンに圧勝したと考えた。翌朝、目覚めるとケネディはスターになっていた。もちろん、本選挙を制したのは言うまでもない。これ以降、テレビが生み出す影響力《テレジェネティックイズム》が、政界の有望候補にはなくてはならないものと見なされるようになる。

中途半端で時間もかかったが、政界の指導者も国民の心を動かせるこのメディアに徐々に馴染んでいった。その最新版にして、ソーシャルメディア時代の正真正銘の最初の使い手たる政治家こそドナルド・トランプである。ツイッター中毒者にして、物事を単純化する点では世界トップクラスの強者《つわもの》だ。インターネットに自らの政治スタイルの天啓を得たポピュリストの立役者のなかでも、トランプは主演級の大立者だ。

こうしたポピュリストには、イギリス独立党のナイジェル・ファラージ、二〇一六年大統領選で民主党候補に立候補したバーニー・サンダース、オランダの反イスラム主義の先導者ヘルト・ウィルダース、イタリアのコメディアンで五つ星運動を立ち上げたベッペ・グリッロをはじめとする面々がいる。左翼もいれば右翼もいるが、いずれにせよ全員が「システム1」型のリーダーで、やっかいな問題については口当たりがいい返事で応じることで支持を得てきた。

トランプはひと筋縄ではいかない人物で、人々の怒りを利用することで部族政治のリーダーに収まった。トランプは間髪を容れず、「それは官僚やポリティカルコレクトを支持するメディア、判事や移民のせいだ」と完璧な結論ですかさずこたえてくれる。もつれにもつれた世界から、ただちに、しかもきれいさっぱりと人々を解き放つと約束している。そして、無秩序と不確実性、情報過多に特徴づけられるデジタル世界で、部族的な帰属意識を与えてくれる。

トランプという人物は、本書の第6章に記されている問題を、生身の人間としてあますところなく体現している。不平等とグローバリゼーションの拡大の結果、なんらかの形で政治的な反動が現れるのは、たぶんやむをえないのだ。しかし、その反動の姿は、私たちが使っているメディアのあり方を反映している。

ハンナ・アーレントは、大作『全体主義の起原』（みすず書房）のなかで、市民が荒れ狂う大海を漂うコルクと化してしまい、何を考え、何を信じていいかわからなくなれば、デマゴーグの魅力に取り込まれると警告している。この本が書かれたのは一九五〇年代なので、アーレントもデジタル世界の到来は予期していなかっただろう。しかし、錨をなくし、自分を見失って当惑する群衆が、やがて部族のリーダーを渇望することが彼女にはわかっていた。このリーダーなら混沌に秩序をもたらし、複雑な世界の単純化を図り、帰属意識も授けてくれる。

耳を澄ませて聴けば、トランプ支持者の大半は、トランプこそ、四面楚歌に陥ったわが部族をリベラル派やイスラム教徒、メキシコ人、主流派メディアの脅威から救い出すためにやってきたリーダーだと明らかに感じている。国境の壁や入国制限、さらに極端な入国審査は、単に部族の敵を排除する本能の一端にすぎないのかどうか、考えてみるだけの価値はありそうだ。敵対者でさえ、心中ひそかにトランプのとりことなり、彼らの多くがあの面《つら》の皮の厚さに感じ入っているのではないかと私はにらんでいる。

大統領選さなかの二〇一六年半ば、「誰だって集団でひとつにまとまっている。だから、白人もまとまらなくてはだめ」[18]と「ニューヨーク・タイムズ」の取材に、ロングアイランドで暮らす主婦はこたえていた。これが部族政治であり、さらに大々的に繰り広げられた好例である。個人に向けられた盲目的な忠誠、その力に寄せられた信仰、真実に目を向けようとせず、特定の集団でひとつにまとまるべきだという熱望だ。

実際、大統領選後に実施された複数の調査から、白人のアイデンティティーとトランプの支持者のあいだには、深い相関関係があったことがわかっている。オルトライトの著名な指導者リチャード・スペンサーは、これを次のように要約した。「白人が人種的アイデンティティーの問題をこのまま避け続け、認めようとしなければ、ほかの人種やエスニック集団が自らのアイデンティティーを取り戻したり、あるいは主張したりした時点で、白人は彼らの権利要求に抗うチャンスをなくしてしまうだろう」[19]

真実よりも感情、客観性よりも先入観

メディアがメッセージなら、メディアによって私たちはこれまでにない激しい「システム1」型の政治に押し流されていくが、そこから逃れられる方法はないのだろうか。

もちろん方法はある。法律や規制、それに教育も役に立つだろう。とはいえ、掛値なしの唯一の対策とは、政治的差異の認識の仕方を変えるという、文化的な転換に最後にはいきつく。

一八六一年、大統領に就任したエイブラハム・リンカーンは、自らの政権の要職に、選挙中、共和党内で自分と指名を争った対立候補を任命した。ライバルこそすばらしい才能の持ち主だとリンカーンは認めていたし、広範な意見に接することで自分の考えも研ぎ澄まされることがわかっていた。『リンカーン』（中公文庫）の著者ドリス・グッドウィンが説くように、集団をひとつに束ねることができるのは、ひとえにリンカーンの指導者たる資質のおかげだった。「人間関係こそ政治の核心であり、適切な方法で人々に応じれば、彼らとともに巧みに事をなしえることがリンカーンにはわかっていた。たとえば感受性や共感、思いやりや優しさや誠実さ――私たちが人間の偉大さだと感じるこうした特質は、政治においても成功へと至る鍵なのだ。事がうまく

いけば、リンカーンはその成果をつねに人とわかちあい、失敗に際しては、一人その肩に責を負った。また、自分が犯した失敗には、ただちにそれを認めた。閣僚一人ひとりのために時間を設けたことで、全員が大統領との距離を感じることはなかった。リンカーンは敬意をもって彼ら全員に接し、わけへだてることがなかった」

この接し方、すなわち自らの弱さと対立者の強みを認め、人間としての常識的な礼儀に基づいて協力しあうことで、部族主義を抑え込むことができるのだ。次なるリンカーンが登場するまで待つわけにはいかないが、この手法は私たちの政治生活にも生かすことができるだろう。

とはいえ、手間と時間、努力が伴う。それでもやってみないことには、政治の分断がどれほどの深みに達しているのか知りようはない。いがみ合う感情的な部族からなるシステムで、しかもグロテスクな敵ばかりか、容易に発火してしまうたっぷりの〝事実〟に取り囲まれているシステムなら、どこまでいってもよくなるはずはない。妥協と交渉が破綻してしまえば、意見の違いの解決は、とどのつまり有無を言わせぬ強制と暴力だけとなる。そして、私たちがいま向かいつつある地点がそこなのだ。

二〇一六年六月一六日、イギリス労働党所属の下院議員ジョー・コックスが、ネオ・ナチのトーマス・メアに殺害された。ＥＵ支持の運動を行っていたコックスのことを、メアは〝内通者〟で〝売国奴〟だと呼んでいた。この悲劇に遭遇しても、反目の怒りは静まることはなかった。二〇一七年後半、公務倫理基準委員会は、議員候補者が経験した脅迫について発表している。「執拗で卑劣、かつ信じがたい脅迫。性的暴力と器物破損を含む、暴力をちらつかせた脅し」について、調査対象の半数以上が嫌がらせと脅迫に脅えていた。そして、女性の下院議員全員がツイッター上で嫌がらせを受けていた。[20]

二〇一六年一月、予備選の決起集会でアイオワ州を訪問したトランプは、支持者に向かい、かりに自分が「ニューヨークの五番街のど真ん中に立ち、誰かを撃ち殺したとしても、…有権者が離れていくことはないだろう」と語っていた。まがまがしい話ではあるが、真実よりも感情、客観性よりも先入観、妥協よりも部族が優位な時代にあっては、十分ありえる話である。そして、有権者はたしかに離れることはなかったのである。

第3章 ビッグデータと大統領選

◉デジタル分析が政治のあり方を揺るがす

ビッグデータとマイクロマーケティングがどのように選挙を変えるのか、二〇一六年アメリカ大統領選でドナルド・トランプが展開した選挙キャンペーンはそれを明らかにした。衰えることがないデジタル・テクノロジーの進歩は、私たちが選ぶ政治家のタイプやスタイルさえ変えてしまう。さらに重要な問題が富裕層の存在だ。彼らは私たちの理解が及ばない方法で、選挙への干渉をますます深めている。

大統領選と「プロジェクト・アラモ」

二〇一六年五月、とある日曜日の午後、テキサス州サンアントニオに住むテリーザ・ホンの電話が鳴った。テリーザはデジタル・コミュニケーションの専門家で、選挙キャンペーンに関する仕事についても数年の経験を持ち合わせていた。

「ブラッドだ。書いてもらいたいものがあるけど、都合はどうだい」

ブラッド・パスカルとは旧知の仲だ。彼女と同じく、ブラッドも地元の広報関連の仕事に携わってきた。出身はカンザス州、ハイテク起業家としてまずまずの成功を収めてきた。一九九〇年代に大学を卒業して以来、ブラッドはサンアントニオで暮らしてきた。さまざまなデジタルビジネスで奮闘した数年を過ごした二〇一〇年、ドナルド・トランプが経営する会社の不動産部門のウェブサイトを立ち上げるという話が舞い込む。

雇い主はブラッドの誠実さと勤勉ぶりを気に入った。[1] トランプが共和党の予備選への出馬を宣言すると、ブラッドは陣営のデジタルキャンペーンの担当に指名された。共和党大会は二〇一六年六月、だが四月下旬の時点ですでにトランプの指名獲得が確実なものになっていた。そして、本選の選挙キャンペーンに携わるブラッドの地位もあがった。

ブラッドとテリーザは仕事が同じで、政治的には右寄りという点も同じというだけではない。年齢はともに四〇代、二人ともパンクな一面があった。テリーザはスリーブタトゥー、ブラッドはZZトップ風のあごひげを伸ばしている。そんなことより、テリーザもブラッドも根っからの仕事中毒で、仕事関連のメールなら日曜日でもいとわない。

「いいわよ――で、締め切りはいつ」。エンチラーダを食べながらテリーザはこたえた。[2]

「月曜日の夕方か火曜日。選挙キャンペーンのデジタルプランを書かなくてはならないんだよ」

現在、どんな選挙キャンペーンでも〝デジタルプラン〟は欠かせないものになっている。デジタルプランは、チームリーダー、コンテンツプロデューサー、ターゲティング広告など、涙がにじんでくるほど膨大な数字が記された計画書を意味する業界用語で、いまでは選挙という選挙で主役を担っている。有権者の説得という点では、一軒一軒訪ねてまわるのがもっとも効果的なのは研究からも判明しているので、個別訪問が廃《すた》れることはないだろう。とはいえ、デジタルプランなしで、真剣に選挙に取り組む者などいまのところ誰もいない。

ブラッドの計画は、今回の選挙キャンペーンを史上もっともデータを駆使した運動に変えることだった。シリコンバレーの哲学を政治の世界に応用してみるのだ。見た目は直感や第六感の類いのようだが、その実、サンプル検査や計測、科学的な精密さが求められた。おそらく対立候補はヒラリー・クリントンだ。だが、この方法なら費用の高騰を抑え、メディアやワシントンDCの専門家の支持が強敵クリントンの集票組織より劣っても、カバーできることがブラッドにはわかっていた。データを使い、この選挙を〝ハッキング〟しようとブラッドは決心した[3]。

共和党の正式な大統領候補としてトランプが決まると(ブラッドの雇用契約も確定)、世界的な関心の目を避け、ブラッドのチームは市内の目立たないビルに拠点を設けた。

ビルは交通量の多いフリーウェイのすぐ脇に建っていた。選挙キャンペーンを仕切っていたジャレッド・クシュナーに報告を入れた。「ひと部屋で四名のスタッフから始まった。〝すごいものを作ってやる〟とブレッドは言っていた」と、のちにテリーザは説明する。

チームは瞬く間に大所帯になり、間もなくビルの三階を独占したうえに、カフェテリアのテーブルや空き部屋が何室か加わった。[4] 党本部からお歴々が乗り込んでくる。そのなかには共和党全国委員会（RNC）の広報担当責任者のゲイリー・コービーがいた。イギリスのデータ分析会社ケンブリッジ・アナリティカも、最高製品責任者のマット・〝オズ〟・オズコウスキー以下、一四名のスタッフを送り込んできた。オズコウスキーは見事な上腕二頭筋を持っており、ゴルフクラブを手にして歩き回っていた。「これまで会った人間のなかでも、頭のよさではずば抜けていた」と、彼についてもテリーザはのちに書き込んでいる。[5]

この部署はほどなく「プロジェクト・アラモ」として知られるようになっていく。選挙キャンペーンが本格化するにしたがい、何十人というスタッフが、何百万というアメリカ中の端末にトランプを支持するコンテンツの爆弾を途切れることなく降らせ続けた。不眠不休のスタッフは、ピザとドクターペッパーで勢いを駆り立てた。記憶される限り、もっとも奇妙な選挙において、ほとんど気づかれることがなかった戦線である。単なる戦争ではない。これは情報戦争だった。

共和党と「ケンブリッジ・アナリティカ」

インターネットが登場する以前から、選挙ではデータ主導による手法が使われてきた。一八九〇年代、共和党の自慢は、全有権者の氏名、住所、年齢が記された台帳だった。[6]しかし、インターネットに移行するにしたがい、政治活動もこの動きに追随するようになる。メッセージング機能やターゲティング広告を支援する購買データ、ネットの閲覧履歴、投票記録を使うことで、政党は数十年の歳月をかけ、しだいに緻密さを極めた洞察力を身につけるようになった。

一例をあげれば、二〇〇六年の大統領選で、バラク・オバマ陣営の分析担当者は、国中の有権者全員に一組の数字を振り当て、オバマに投票する見込みと、選挙運動を支持するかどうかを予測した。[7]ヒラリー・クリントンもまた、ネット上の有権者を狙いを定めたきわめて精巧なシステムを構築していた。[8]現在、選挙という選挙は、小規模な軍拡競争の様相を呈している。そして、二〇一六年のアメリカ大統領選において、共和党はこの選挙を有利に運ぶため、ケンブリッジ・アナリティカという一民間企業に頼った。

この会社に決まったのは、偶然の選択ではない。ケンブリッジ・アナリティカの筆頭株主の一人が、ビリオネラーとして知られるトランプの後援者ロバート・マーサーだった。一線は退いたものの、ロバート・マーサーは高名なコンピュータ・プログラマーで、ニューヨークを拠点とするヘッジファンド、ルネッサンス・テクノロジーの共同経営責任者として巨万の富を築いた。通称「レン・テック」で知られるルネッサンス・テクノロジーは、ビッグデータと精巧なアルゴリズムを使い、国際的な債権市場のトレンドを予測し、市場で勝ち札を引き続けてきた。ヘッジファンドの世界では、わずか数パーセントそこそこの小さな種子から、莫大な見返りが生み出せる。

二〇一三年、ケンブリッジ・アナリティカは、戦略コミュニケーション研究所（SCL）の系列会社として設立された。SCLはブランド戦略や戦略的広報の経験が豊富で、若者に向けてアルカイーダへの参加を思いとどまらせる任務のような、軍事と諜報活動に関係する心理戦を専門としていた。ケンブリッジ・アナリティカを選んだ狙いは、こうした技術をどのように政治に応用できるのか、その方法を案出することで、とりわけ共和党に対する技術的な支援を図る点にあった。デジタルキャンペーンをめぐり、共和党は民主党におくれを取っているとマーサーには思えていた。[9]マーサーは新会社に大金を投じた。この会社はトランプ支持の強力なネットワークの一部でもあったのだ。最近までブライトバードの会長で、トランプ政権の首席戦略官だったスティーブ・バノンが、政権入りする前まで取締役としてかかわっていた。

創設以来、ケンブリッジ・アナリティカはマーサーの指示に従ってきた。二億三〇〇〇万人に及ぶアメリカ国民について、約五〇〇〇のデータポイントを設定し、データベース化してきた。こうしたデータには、商業ベースの情報源から購入したインターネットの閲覧履歴、購入記録、所得記録、投票記録もあれば、フェイスブックや電話調査で収集された記録もあった。[10]

そもそもこれらのデータは、二〇一六年大統領選に向け、共和党の予備選に出馬したテッド・クルーズの選挙活動のために集められたものだが、その後、テッド・クルーズが党の指名候補を断念すると、会社はトランプの選挙キャンペーンに移行した。このデータがプロジェクト・アラモに移されると、共和党全国委員会（RNC）も「ボーターバルト」の名で知られる、独自に集めた有権者の巨大データベースを提供、かくして作業が本格的に始まる。

フォードに乗る人はトランプの潜在的支持者

プロジェクト・アラモにおけるケンブリッジ・アナリティカの主だった役割は、このデータを使い、彼らが〝ユニバース〟*と呼ぶものを立ち上げることだった。ユニバースとは、トランプの選挙運動でそれぞれ鍵となるターゲットグループを意味し、たとえば、これまで投票所に行ったことはないが、児童保護が気がかりなアメリカの母親、中西部に暮らす銃支持派の男性、国債の利回りを気に病むヒスパニック系の住民などである。

このように高度に絞り込まれたユニバースが、何十という数で作られた。そして、集団を構成するメンバーは、彼らがどの程度〝説得可能〟か、という点に準じてモデル化されていった。

消費パターンあるいは閲覧履歴を基に、このようなカテゴリーに分類することは奇妙に思えるかもしれないが、第1章で説明したように、ビッグデータに基づく分析がこうした形で機能している。十分なデータがあれば、驚くほど詳細に個人の横顔が描き出せるのだ。たとえば、選挙キャンペーンのさなか、国産車を選ぶ人はトランプの潜在的な支持者であることを強く示唆する事実をケンブリッジ・アナリティカは発見した。[11] そこで、車の購買記録を調べ、最近フォードを購入した人物を抽出、さらにRNCのデータから、その人物がここ数年投票所に行っていない事実が判明すれば、彼らはきわめて〝説得可能〟なターゲットとしてランクされる。

プロジェクト・アラモは何もかもデータに基づいて進められ、こうしたユニバースを中心にほとんどが組み立てられていた。アメリカの大統領選挙では、選挙人制度が採用されている。州ごとに人口規模に応じた選挙人が割り当てられ、その州を制した候補者が選挙人を総取りする。候補者が当選するには、選挙人の過半数二七〇票が必要だ。

アラモの分析担当者は、一六の激戦州において、一三五〇万人の〝説得可能〟な有権者を特定すると、これら有権者全員から当確ラインに達する数字をモデル化した。[12]さらに、コンピュータを使ってグラフィカルに処理《ダッシュボード》し、遊説先をはじめ、個別訪問の選定や電子メールの配信先、またダイレクトメールやテレビコマーシャルの提案を行った。

建物のいちばん広い部屋は〝ブルペン〟と呼ばれていた。テリーザと仲間の〝クリエイティブな連中〟が働いていた部屋だ。当時のテリーザの一日は、彼女のような業界人が言う〝コンテンツ〟作りに占められていた。マット・オズコウスキーは、それぞれのユニバースの意図を彼女に説明し、テリーザはその意図を汲んでコンテンツを仕立てた。「データがコンテンツに命を吹き込むの。本当にみごとな組み合わせだったわ」

メッセージを盛り込んだコンテンツのテストが繰り返された。RNCのゲイリー・

＊　これら〝ユニバース〟について、データがどう使われたのか、つまりケンブリッジ・アナリティカのデータはどれくらいで、共和党全国委員会のデータがどの程度かは、厳密には明らかにされていない。ブラッド・パスカルの話では、ケンブリッジ・アナリティカが入力したデータの大半は、他のデータを分析したものだったという。

コービーは、何タイプもの寄付金集めのメールを送信するとともに、フェイスブックに数千タイプに及ぶ広告を掲載すると、どれがいちばん有効かただちに見抜いた。赤色ボタン、緑色ボタン、黄色ボタンを備えた寄付を募るウェブページについてもテストしていた。ヒラリーの写真のうち、いちばん写真写りが悪いのはどれかというテストさえしている。[13]

二〇一七年、私はBBCのシリーズ番組「シリコンバレーの秘密」の取材でプロジェクト・アラモを訪問し、テリーザにインタビューを行った。テキサス州は夏の盛りで、たまらないほどの暑さだった。ダラスまで飛行機で飛び、そこからサンアントニオまで車で三時間、テリーザは、例のフリーウェイのかたわらに建つ、のっぽで目立たないビルの前で待っていてくれた。彼女の話だと、このビルの内部に立ち入ることが許された最初の報道関係者だという。もっとも、訪問したときにはすでに室内は空っぽだった。

空き室から空き室へと案内してもらいながら、彼女は選挙キャンペーン中の徹夜組の思い出話を語ってくれた。室内をひとしきり案内してもらうと、テリーザはパソコンを取り出し、彼女がデザインし、世界中に発信した数点の広告を見せてくれた。「児童保護に不安を覚える働く母親」として、ケンブリッジ・アナリティカが定義づけたユニバースへの広告だった。お約束通りの展開だ。優しい声で語られるナレーシヨン、幸せだが、一抹の不安を覚える一家という設定、そして「あなたと同じように、トランプも胸を痛めています」のメッセージ。

しかし、当のトランプの姿は出てこない。「こっちのほうが、温かみがあるし、印象も柔らかい。とくにこの広告の受け手《オーディエンス》には、もっと穏やかなアプローチにしたかったのよ」とテリーザは言う。ほかのユニバース向けには、トランプ本人が主人公として扱われていた。

イギリスのＥＵ離脱とビッグデータ

ビッグデータの高度な技術を使った軍拡競争は、倦むことを知らないまま進展し、決して鈍化することはない。選挙という選挙がいまやこんなふうにデータ化されつつある。世界中の政治家にこの技術を提供する民間契約者とデータアナリストのネットワークを通じ、ますます広まっていくのだろう。

たとえば、トランプが選挙に勝利する数カ月前、イギリスのＥＵ離脱を求める運動団体が非常によく似た手法を使っていた。国民投票から数カ月後、離脱を支持する団体のひとつ「ボート・リーブ」を主導したドミニク・カミングスは、なぜ自分たちが勝利したのか、その理由を述べた長文を何回かブログに書き込んだ。どんな理由であれカミングスはひとつも否定しなかったが、データが決め手だと当人が考えていたのは、はっきりとうかがえる。

基本的な考えのひとつは、かつて試みられたことがないデータの分野で、離脱運動を進めなくてはならないことだった。これには、①データの統合、つまり、ソーシャルメディア、オンライン広告、ウェブサイト、アプリ、戸別訪問、ダイレクトメール、世論調査、ネットによる寄付金募集、活動家の手応え、独自に実施した新手法による世論調査の結果などを一体化させることだ（略）。②データサイエンスは物理学の専門家と機械学習にまかせ、両者にしかできないしかるべき方法で行ってもらう——言い換えるなら、政治活動に標準的に適用されているスキルをはるかに超えることだ。ありったけの資金をデジタル・コミュニケーションに注ぎ込み、そのコントロールの一部を、日頃は量子情報のような課題を研究している者に委ねる。イギリスでこんな運動を展開したのは私たちがはじめてだ。コミュニケーションに関し、大々的な改善を図りたいなら、こうアドバイスしたい。ありきたりな会社のコミュニケーションの専門家ではなく、雇うなら物理学者だ。

ブラッド・パスカルとまったく同じように、カミングスもまたシリコンバレーの新興企業のように、物理学者とデータとイノベーション、そして広告とメッセージに関する絶え間ないテストによって「ボート・リーブ」を始動させた。

「さすが」と思わせた戦略は、賞金五〇〇〇万ポンドを懸け、二〇一六年のサッカー欧州選手権の全五一試合の結果予想を一般から募ったことだった。応募と引き換えに参加者は電話番号、メールアドレス、自宅住所を記入、さらにEU残留に投票する可能性を五段階評価でチェックさせていたことである。[14] このデータは言うまでもなく、モデルにインプットされた。

カミングスの見積もりでは、EU離脱の運動中、もっぱらフェイスブック経由で、対象を絞った一〇億前後の広告が送信されていた(このサービスを受けるため、カナダの政治コンサルタント会社で、フェイスブックの広告に特化しているアグリゲートIQに二七〇万ポンドを支払っている)。トランプの選挙キャンペーン同様、カミングスらもさまざまなバージョンの広告を流すことで、双方向のフィードバックループで広告効果を検証していた。[15]*

フェイスブックの投稿が有権者を動かす

この進化は決してやむことはない。二〇一七年のイギリス総選挙で労働党はこれとは別の手法を用いた。だが、全体的な目的は情報環境を変えることにあり、狙いはやはり同じである。[16] 労働党党首のジェレミー・コービンの支持者は、紐つきの広告ではなく、膨大な量の〝有機的〟なコンテンツを自ら制作すると、緊密にネットワーク化された集団内で共有した。このことが意味するのは、彼らのメッセージ——まぎれもない国民によって書かれた、まぎれもない事実——は、そうではないメッセージより、はるかに多くの人々の手に届くばかりか、信じるに足るメッセージになるということなのだ。

幅広くシェアされ、超のつくほど熱烈なコービン支持者向けに話を量産していることでは、左翼系の〝主流派マスコミが取り上げない話題《オルタネイティブ・ニュース》〟を扱うメディアのありようもまた同じだろう。コービンはラッパーのJme《ジェイミー》とのブランチの様子をスナップチャットした。これなど、コービン本人が考えたとは思えない。

労働党が選挙キャンペーンで流した、「パパ、なぜ私が嫌いなの」(Daddy, why do you hate me?) という動画は、二〇三〇年を舞台に、女の子と父親の会話という設定で、娘は父親になぜ総選挙で保守党のテリーザ・メイに投票したのかと尋ねている。情緒的で、誤解を招きやすく、やけに感傷的だが、その実、かなり攻撃的な動画で、二日間で何百万回と再生された。

労働党も技術スタッフを頼りにしており、ひそかにではあるがデータモデリング(訳註:データを一定のルールに基づいて整理していく手法)を使い、潜在的な労働党支持者の特定を手際よく進め、メッセージを送って対象者を見極めている。[17] 使用するのは「プロモート」（Promote）という内製ツールで、フェイスブックの情報と党の有権者データが統合されている。こうやってシニア・アクティビストは地元に根づいたメッセージを右派（つまり説得可能な対象）の支持者に向けて送れるようになった。[18]

以上のような戦術が、なぜこれほど効果的なのか、解明する鍵が明らかになったのはほんの数年前のことで、ほとんど偶然に等しかった。二〇一二年の合衆国大統領選の期間中のことである。何百万の有権者が市民としてのささやかな義務を果たすと、その事実を世界に向かって語るべく、フェイスブックに「私は投票した」と投稿を始めたのだ。その結果、わずかとはいえ、投稿を見た友だちもまた投票所へと向かう可能性が高まったことにフェイスブックは気づいた。事実、それにまちがいはなく、フェイスブックによって三四万人の投票者が増えていたのだ。

ジョージ・W・ブッシュが当選した二〇〇〇年の大統領選では、フロリダ州の得票

＊　ジャーナリストのキャロル・カドウォーラダーは、ケンブリッジ・アナリティカに関する長文の記事を「ガーディアン」に何度か寄稿している。同社の「ボート・リーブ」運動への関与に触れた記事に対し、現在、ケンブリッジ・アナリティカは「ガーディアン」を告訴中だ。イギリスのプライバシー監視機関である情報コミッショナー事務局（ICO）が、政治目的でデータ分析を使用した点でケンブリッジ・アナリティカを調査しており、問題はさらに複雑な様相を呈している。

は再集計の結果、わずか五三七票の票差にすぎなかった。この年の選挙ではフロリダ州は民主党有利だったので、フェイスブックに「私は投票した」という投稿があれば、選挙の結果はまったく変わっていたかもしれない。世界の国政選挙の得票差を調べたアメリカ行動調査技術研究所（ＡＩＢＲＴ）の心理学者ロバート・エプスタインによると、グーグルは検索結果の表示順位を変えることで、投票結果を〝二五パーセント〟まで上昇させることができるという。[19]

フェイスブックもグーグルも、意図的あるいはそうでないにせよ、過去にそのような行為に及んだとか、あるいはこれから行うという証拠や保証は皆無だ。だが、この説は情報を支配する者は誰であろうと強大な権力を手にすることを物語る。オンライン環境ではささいな変化でさえ、決定的に重大な意味を持っているのだ。

うすうす気づかれていると思うが、広告配信にかけてフェイスブックがきわめて効果的なメカニズムであるのは、ユーザーを微細に細分化してターゲットにすることができるからである（とくに、類似オーディエンス《ルックアライク・オーディエンス》として知られる技術は、関係者のあいだで高く評価されている）[20]。コービンもボート・リーブも、広告の受け手《オーディエンス》に訴える仕組みとして、フェイスブックをとても頼りにしていた。[21]もっとも両者とも、トランプの選挙キャンペーン中のブラッド・パスカルほど、フェイスブックにのめり込むことはなかった。

選挙運動中、プロジェクト・アラモでは、約七〇〇〇万ドルがフェイスブックの広告に使われ、広告は一日当たり一〇〇本に達し、それぞれの広告のバージョンが数千にまで及ぶことも少なくなかった。そして、どのバージョンがいちばん効果的だったのかを知るため、絶えず微調整が繰り返された。[22]二〇一七年一〇月、CBSのインタビューに対し、「フェイスブックはたしかに効果があった。これまで手が届かなかった相手にも、手を伸ばすことができるようになった」とブラッド・パスカルはこたえている。「テレビCMでは、こんな真似は決してできない」

フェイスブックには私も広告を出したことがある。二〇一〇年、フェイスブックを使って、ヨーロッパの極右政党の支持者に的を絞った広告を打ったのだ。勤務するデモスの仕事の一環として、調査項目について彼らの回答が必要だったからである。それは決して簡単な作業ではなかった。ただ、大口のクライアントなら、フェイスブックの支援を直接受けることが可能だ。CBSのニュース番組「60ミニッツ」でブラッドは、フェイスブックとグーグルにメールを送り、スタッフの派遣を要請したと語った。それればかりか、派遣するスタッフは全員が共和党支持者だとしつこく念を押したと事実も打ち明けている。「フェイスブックが使っている秘密のボタンやクリックをひとつ残らず知りたかった。彼らがヒラリー側の連中に何を話したのかをはじめ、包み隠さず知りたかった」

プロジェクト・アラモの一室で、ケンブリッジ・アナリティカのスタッフとともに席を並べていたのが、フェイスブックとグーグルのスタッフで、彼らの仕事とは、支払った大金に見合うだけのものをトランプに保証することだった。この事実を私が知ったのは、アラモ訪問中、テリーザは「彼らはここに座っていた」と指さすと、「いくら褒めても褒め足りない人たちだった」と教えてくれたおかげだ。「(フェイスブックは)最高のサービスを提供してくれたわ」。部屋を歩きまわりながら、テリーザは話した。「プラットフォームが効率よく使える限り、あの人たちは現場の仲間なのよ」[23]

この話を聞いたとき、私は愕然とした。ソーシャルメディアの社員――しかも支持政党が同じ社員――が、トランプ陣営のスタッフと机を並べながら作業を進めていたのだ。とはいえ、驚くほどのことではないのかもしれない。ネットでは精巧なクッキーとトラッキングソフトが私たちの行動に目を光らせるが、いまではそんな話にもすっかり慣れてしまった。だが、これは休日の過ごし方や好みのメイク、ジーンズを調べているわけではない。集めた結果は、政治家の勢力拡大に容易に利用することができる。

「トランプの投稿は、私が書いたのよ」

アナリストはクリック率(CTR)やコンバージョン(訳註:サイト上で獲得できる

最終成果のこと。成果は定義によって異なる。略称「CV」）に取り憑かれ、抜け目ない彼らによって、私たちは自らの意志とは無関係に、知らないうちに〝ユニバース〟という〝バケツ〟に放り込まれている。選挙キャンペーンの責任者にとって、私たちは政治的コンテンツが〝ヒット〟するかどうかの〝ターゲット〟なのだ。かつて、この手のことはプロパガンダと呼ばれたが、いまでは「定量化可能な説得的コミュニケーションに関する行動科学的アプローチ」と呼ばれ、もっとも得意とする者を表彰さえしている。[24]

きちんと検証されないまま、こうした技術が進化を続けることで、私たちの政治的選択を決定する方法、どのようなタイプの人物を選出するのかといった点ばかりか、選挙が本当に自由で平等なのかという考えそのものが変化した。

現代の大衆政党による政治は、できるだけ大きな協調関係が築けるよう広い支持層に訴えるため、計画的な政策提案をつねに目的にしてきた。社会学者のフランシス・フクヤマが『政治の衰退』（講談社）で説くように、これが重要であるのは、幅広い計画を持つ政党によって、十人十色でさまざまな関心を抱く国民がひとつにまとまり、政策方針を整えることができるからである。一方で、それに異を唱えて対立し、別の関心を抱く集団も存在している（計画的な政策提案は、敗者の側になった市民が、負けを認めるうえでひと役買っている。次回の選挙では勝てるかもしれないと納得しているからだ）。[25]

しかし、ビッグデータが指向するのは、これまで以上に個別化されたモデルだ。その集団の人となりを割り出し、彼らが関心を向けるものを見つけ、それに正確な狙いを定める。政治の世界では一貫して説得型広告が用いられてきた──「労働党は働かない」という広告を覚えているだろうか（訳註：一九七九年のイギリス総選挙で保守党が使った広告）。しかし現在、特定集団の有権者にターゲットを絞れるようになると、何百万という有権者に大量の広告を送るかわりに、彼らの関心に基づいた、具体的な見通しや公約と誓約が発信できるようになった。

これこそ劇的な変化であり、その影響は広い範囲に及んでいる。重要なのは誰もがみな同じメッセージを受け取ることであり、そうでなければ、他の人間がどんなメッセージを受け取っているのかは少なくとも知っている必要がある。知っているからこそ、同時代の問題をめぐって私たちは議論を交わせられるのだ。誰彼かまわず送られ、個別化されたメッセージしか受け取れなければ、公開討論が共有できなくなってしまい、何百万という烏合の衆にすぎなくなる。

政治論争のカバー範囲が狭まることに加え（研究によると、公開討論が閉ざされた場合、候補者は二分化を招きそうな問題を取り上げるようになるという）、そのせいで政治責任も希薄になっていく。過剰な個別化によって、政治家はそれぞれの〝ユニバース〟に対し、てんでんばらばらの誓約をしてしまうことにもなる。誰の目にも見えて、理解できる明らかな公約がひとつとして存在しなければ、私たちはどうやってその責任を問いただすことができるのだろう。そして、その人物が、まぎれもない本物のトランプだとそもそも知ることができるのだろうか。

　プロジェクト・アラモを訪問したときのことである。

「フェイスブックのミスター・トランプの投稿は、ほとんど私が書いたのよ」とテリーザが教えてくれた。不意を突かれた。あれはトランプ本人の投稿だと私はずっと思い込んでいた。読んだのは一度や二度のことではない。あの書き方はまぎれもなくトランプ本人のはずだ。だが、実はそうではなかった。投稿を繰り返していたのは、サンアントニオのオフィスのデスクに座っていたテリーザだったのである。

「私がミスター・トランプになりきって書いていたのよ」と、テリーザはにこやかな顔で話している。「どうやれば、ドナルド・トランプのような人間になりきれるんですか」と問い返した。「そうね、『私を信じてほしい《ビリーブ・ミー》』『おまけに《オルソー》』『とても《ベリー》』という言葉を繰り返すこと（略）。ミスター・トランプはこの手のものを書かせたら最高よ。本当にわくわくする文章だわ。やっぱり、本物は違うわね」。自分で口にしている皮肉に彼女は気がついていないようだ。

　もちろん、個別化は規制する側にも問題を引き起こしている。広告が非常に個別化されているうえに、個々のユーザーに配信されているので、それが正確かどうか確認することがますます困難になっている。英国法では、候補者はたがいについて、虚偽の主張を行うことを禁じている。もっとも、フェイスブックはいわゆる「ダークポスト」――特定のユーザーしか見られない非公開のメッセージで、その内容はきわめて信頼性が高いはずだ。[26]

マイクロターゲティングがパラダイムシフトをもたらす

優位に立とうと相手陣営に猛攻をかけているさなか、どの政党も最新の技術に殺到するが、その技術が私たちをどこに導いていくのか、そこまで考えをめぐらすことはめったにない。ジャーナリストのなかには――実は私もその一人だ――プロジェクト・アラモでは〝サイコグラフィックス〟として知られる、ある特別なマイクロマーケティングの技術が使われていたという考えにいささか取り憑かれた者がいる。

第1章でマイケル・コジンスキー博士が私に教えてくれた技術が、このサイコグラフィックスだ。人間の性格的特徴を解明し、それに基づいた広告を設計する。ケンブリッジ・アナリティカは過去にこの手法を使っていたし、アメリカの国民一人ひとりの性格タイプを予測できると豪語していた。テッド・クルーズの選挙キャンペーン中に使われたというが、どの程度の効果があったのかは明らかではない。[27]

そして二〇一八年三月、ケンブリッジ・アナリティカが所有するデータセット（訳

註：プログラム処理されたデータの集まり）の大半は、同社が不適切な方法でアクセスしたフェイスブックから入手したものだと、元社員が「オブザーバー」紙ですっぱ抜く。数日にわたりメディアのトップを飾る大騒動となり、イギリスの情報コミッショナー事務局（ＩＣＯ）はケンブリッジ・アナリティカのデータベースを調査する令状を申請、一〇〇〇億ドルを超えるフェイスブックの時価総額が吹き飛んだ。[28]

ケンブリッジ・アナリティカの最高経営責任者アレクサンダー・ニックスへのインタビューを取り付けたのは、サンアントニオから戻った直後だった。ロンドンの中心部に建つありきたりのビルの内部を進んでいった。入居している会社もごく普通の会社ばかりだが、一社だけ毛色の違う会社があった。額装されたトランプの写真と、アメリカの著名な世論調査専門家フランク・ランツの言葉が掲げてあるのが目にとまった。「ケンブリッジ・アナリティカを除いて、プロはもはやいなくなった。彼らは必勝の方法を見出したトランプのデジタルチームだ」

ずらりと居並んだ社員がモニターに目を凝らしている。プロジェクト・マネジャーやＩＴ専門家、データ・サイエンティストたちである。[29]ニックスのガラス張りの執務室に置かれた書棚には、イギリス独立党（ＵＫＩＰ）の資金提供者アーロン・バンクスの著書『ブレグジットの悪童たち』（*The Bad Boys of Brexit: Tales of Mischief, Mayhem & Guerrilla Warfare in the EU Referendum Campaign*／未邦訳）、「ウォールストリート・ジャーナル」のコラムニスト、ジョン・ファンドの『盗み取られた選挙』(*Stealing Elections: How Voter Fraud Threatens Our Democracy*／未邦訳)が置かれていた。こうした技術にニックスは心から満足しているようで、マイクロターゲットはまだ緒についたばかりで、将来の選挙キャンペーンを体現したものだと語った。「マイクロターゲットはパラダイムシフトをもたらすはずだ(略)。それに向かって世界は動きつつある」。トランプの選挙キャンペーンでは、サイコグラフィックスを使ったのかどうかと尋ねると、相手は否定した。ブラッド・パスカルも「60ミニッツ」のインタビューで、同じようにこたえていた[30](フェイスブックのデータを不正に入手し、適切な承認もないまま利用した申し立てについても、ケンブリッジ・アナリティカは強く否定した)。

「自分は完全に操られている!」

誰もがサイコグラフィックスになんとも言えない居心地の悪さを覚えるのは、私にもよくわかる。自分が完全に操られているという思いだ。もちろん、データの収集と使用が法律と倫理に従って行われているかはなおざりにできない問題である。とはいえ、これは問題の本質ではない。大局的に見れば、問題の本質とは、ケンブリッジ・アナリティカ独自の技術そのものではなく、この会社に私たちの心のなかを見透かされている点だ。*

とは言いつつも、〝モノのインターネット化〟（ＩｏＴ）で、個人のターゲティングが可能になった様子を思い描いてほしい。さまざまなモノがインターネットとつながることで、セキュリティー上のリスクが生じる――たとえば、冷蔵庫やベビーモニターが不正侵入されたりするなど、当節、この手の話題でもちきりだ。しかし、爆発的に増えた日常生活に関するデータが、選挙キャンペーンに使われた場合を考えてほし

＊「トランプの選挙キャンペーン中、サイコグラフィックスは使わなかったのか」。インタビューのなかで、ニックスにそう問いただすと、「使ってはいない。そんな時間もなかった。トランプのために、特別モデルのサイコグラフィックスを用意したのかと聞かれれば、答えは〝ノー〟だ」。質問を重ねてさらに問いただすと、最後にはこう譲歩した。「トランプチームは、テッド・クルーズの選挙運動から〝遺産〟となったデータを引き継いだ。私たちは以前に設計したモデルを使い、そのデータを統合させた」。ニックスのこの話が何を意味するのか、私にはまだ完全に理解できたわけではない。現時点で断言できるのは、ケンブリッジ・アナリティカが使用したデータポイント――二億五〇〇〇万の人を対象に約五〇〇〇――は、きわめて複雑になり、当のケンブリッジ・アナリティカですら自社データの解析は容易ではなかった。どうやら個々の広告を調整できなかったのは明らかだが、データのなかには性格的特徴を表したものも存在していた。当時としてはなかなかのスクープだと自負していた。引き続きこの件を調べていたジャーナリストもみな、一歩前進を促した記事だと認めてくれた。

い。たとえば、一〇年以内のうちで、冷蔵庫は持ち主が何時に食事をするのかを学習し、車は車で所有者のこれまでの移動先を知るようになって、家電製品は声の調子からおおまかな怒りのレベルを推測できるようになる。

このようなデータは、政治アナリストにひと呑みされるのは確実だ。フェイスブックに投稿した記事に記された感情表現の数に、冷蔵庫のデータを相互参照することで、ケンブリッジ・アナリティカあるいはその他の会社が、この人物は空腹になるほど、怒りを募らせていくと関連づけるだろう。さらに分析が進化すれば、怒りを覚えている人は「法と秩序を訴える候補者」に票を投じる傾向が認められると推測する。冷蔵庫やスマートカー、スケジュール管理やフェイスブックのデータから、自宅のスマートテレビは、小腹が空き始めたちょうどそのときに合わせ、個別化された犯罪に関する広告を放映する。[31]

この先どこまで行くのか、私にも皆目見当はつかない。数年後、バーチャルリアリティーの夢心地の世界に遊んでいるとき、トランプのアバターが前触れもなく姿を現す。このトランプは、相手を怒らせる勘所に実によく通じているのだ。

長い目で見ると、このようなターゲティングやABテスト（訳註：ウェブマーケティング手法のひとつ）を続けることで、別のタイプの政治家の出現を促してしまう恐れさえ出てくる。政治がメディアで広く公開される論争から、トリガー（訳註：ユーザーの行動を促す契機となる施策）やナッジを当てにした行動科学へと変わっていくからだ。[*32] そして、自由自在に選挙の公約ができるようになるので、政治家にすればこの変化は大助けになると考えるのはそれほど的外れではないだろう。こうした政治家は、そよ風が吹いても激しくはためくような人間で、矛盾する発言を何百と口にして、都合がよくなるたびに変心を繰り返す。ちょうどテリーザのような業界人のように、有権者に提示し、売り込むコンテンツを大量に生み出すことができるからである。[33]

たぶん、未来の政治家とは、この手のタイプのように、理念には乏しいが、論点をぼかし、曖昧模糊とさせることにかけては抜群の才能がある者かもしれない。選挙陣営のスタッフが候補者に向かい、相反するメッセージを前もって何百と用意しておけと言っている光景が目に浮かぶ。そうすれば、聴衆ごとにこうしたメッセージを浴びせられる。有権者という有権者が政治家の意思を受け取るのではなく、広告を受容す

＊　大変興味深いことに、公開討論が非公開となった場合、候補者は意見が分かれ、有権者の分裂を拡大する問題に基づいて選挙運動を進めるようになると示唆する研究者もいる。この話が明らかにするのは、こうした手法を通じて社会の二極化が加速されていく点だ。

る単なるデータポイントになってしまえば、選挙はただのソフトウェア戦争にすぎなくなってしまう。

しかも、その広告は機械生成によって標的が完璧に定められた広告で、精巧に調整され、格別のタイプの人間や心的状態に訴えるようにして送りつけられる。自動的に処理し、反復して改善を繰り返していくアルゴリズムが手がけた広告であり、有権者との関係をめぐる真摯な努力などいっさい払われてはいない。

政治はますます鋭い分析やナッジの問題に変わり、討議はないがしろにされる。趨勢は、よき理念から、よきデータへと変わり、そしてたくさんの金を持つ者のところへと向かっていく。

結局、プロジェクト・アラモは、途方もない影響力を持つ者たちが繰り広げた、はるかに巨大なパズルのささやかなピースにすぎなかったのだ。現実世界をどのような姿にするのか、彼らはそれをめぐって競い合っていた。トランプの後援者ロバート・マーサーはブライトバート・ニュースにも出資している。このウェブニュースをひと言で言うなら、右派向けのハフィントン・ポストだ。リベラル派やイスラム教徒、〝主流派のメディア〟の酷評が専門で、二〇一六年大統領選では、反クリントン、トランプ支持に関するニュースについて、非常に大きな影響力を持つソースを演じた。

イーロン大学のジョナサン・アルブライト教授の話では、二〇一六年のアメリカ大統領選は〝マイクロプロパガンダ製造機〟に支配されていた。たがいにリンクされた極右勢力と、「極端に偏向し、真偽も定かではない、政治的意図が込められた情報」の拡散をたくらむ膨大なウェブページのネットワークのことだ。大勢の者がウェブ上で閲覧者を追跡する高度なクッキーや、精緻にプログラムされた最新の広告配信システムを使っていた。また、これまで以上に謀略に富んだ陰謀説を、それを受け入れる人々に提供するため、ＡＩによるコンテンツ最適化システムも使われていた[34]。

ウラジーミル・プーチンのサイバー戦

この情報戦にロシア大統領ウラジーミル・プーチンもかかわっていた事実が、日を追って明らかになってきている。ネット上のひそかなメディア操作を通じ、国益を図る形で国際世論を微妙に変えられることにプーチンは気づいていた。二〇一四年のウクライナ危機のさなか、ヨーロッパ中の極右・極左政党を抱き込み、偽情報の宣伝活動をロシアは繰り広げた。アメリカ大統領選挙の期間中、ウクライナ危機の際よりも磨きをかけた冷戦をロシアは繰り広げていたのだ。何千名ものコンテンツプロデューサーを雇い、トランプ支持、あるいは反ヒラリーの情報を配信、ウェブサイトはフィードで溢れ、一見シリアスだが、意味のないハッシュタグに圧倒され、まともに使えはしなかった。

ロシアのハッカーたちは、フェイスブックの膨大な数のアカウントを使っていたので、トランプの草の根運動の支持者という錯覚を生み出すことができた。ヒラリー・クリントンの私的な電子メールをハッキングすると、機密情報の公開サイト、ウィキリークスと共有したといわれる。選挙キャンペーン中、漏洩したメールをウィキリークスは時間をかけて公開、その効果は絶大だった。また、有料広告を使い、フェイスブックやグーグルで攻撃的なキャンペーンを展開していた。

ただ、この話はここまでにしておこう。調査がまだ進展中だからだ（原稿の執筆時点で、トランプ陣営とロシア政府とのあいだにあったとされる共謀に関する捜査が行われていた）[*]。いずれにせよ、その目的は明らかにプロジェクト・アラモと同じだ。これまで違う不可視の方法によって、情報戦争を制し、人々の現実世界を方向づけ、インターネットを使って世論の流れを微妙に変えることにあった。

しかし、ロシアの干渉がかならずしもトランプ支持一辺倒でなかった点を無視することはできない。まったく同じ頻度で、もっぱら不和と不調和の種をまくことを狙いとした投稿も多かった。[35] 二〇一八年二月、フロリダ州パークランドのマージョリー・ストーンマン・ダグラス高校銃乱射事件後、ロシアのボットや荒らし《トロール》によって、銃規制をめぐる扇情的な投稿が賛否両論の側から集まり始めた。同様な現象が、二〇一七年一〇月のラスベガスの銃乱射事件、黒人への暴力に対するナショナル・フットボール・リーグ（NFL）の抗議、世間の注目を集めたセクハラ報道に関しても起きていた。

元CIA長官で現国務長官のマイク・ポンペオによると、こうした現象はいまや民主主義に対する〝深刻な危機〟を招いているという。選挙の行方を決定的に左右するからではない。社会の紐帯と、民主主義そのものに寄せられた国民の信頼を徐々に蝕んでいくからだ。銃規制に関するアメリカの法律がどうだろうと、ロシアにはどうでもいいことなのだ。しかし、アメリカ国民が言い争うことになれば、ロシア政府は自らの勝利に自信を深めていくことだろう。

＊　ツイッターは、ロシアにリンクする総計三万七七四六の〝ボット〟（自動ツイートするアカウント）を発見したことを明らかにした。投票日当日までの二カ月間で、これらのボットは、計一四〇万のツイートを行っていた（これをはるかに上回る回数を指摘する研究者もいる）。オックスフォード大学インターネット研究所は、トランプ支持のボットは、クリントン支持のボットの五倍で、さらに大統領選討論会の最中、クリントン支持のハッシュタグが増えるタイミングに合わせ、殺到するよう念入りに調整されていた。そして、投票直後にツイートはやんだ。

フェイクニュースによるロシアの世論操作の規模は圧倒的だが、しかし、驚くほどのことではない。自由なメディア、公平な選挙、開かれたインターネットを持つ民主主義国家は、ロシアのような閉鎖的な独裁国家などよりも、さらに大きな国際的な干渉の支配下に置かれているからである（そして、次の第4章で論じる将来の失業問題が私の予測通りなら、ネット世界の世論に影響力を持つ〝民間のコンテンツプロデューサー〟という職業は、いつの日か、あこがれの職業となるだろう）。

しかし、この問題が明らかになると、テクノロジー企業——とりわけフェイスブックは、自社の信用がかかっている問題なので至急の対応を表明した。政治広告の購入に制限をかけたり、あるいは雇用を増やし、手作業によってコンテンツをチェックしたりするようになった。ツイッターは「広告透明性センター」を整備し、それぞれの選挙キャンペーンにおける広告費の支出額、資金を提供する組織の身元、またターゲット広告に使用された人口統計データについて、誰もが閲覧できるようにした。

マーク・ザッカーバーグは二〇一七年暮れにかけ、それまでの意志を一八〇度悔い改める回心の時を迎えたようである。中立なプラットフォームとして、すべての情報を等しく扱うのではなく、むしろ責任ある新聞社が編集上の判断をくだすように、フェイスブックも振る舞う必要があると認めたようだ。たしかにこれは役に立つにちがいない。政府も手をこまねいてばかりいるのではなく、選挙関連の法律の最新情報を伝えることもできる。これについては、本書の最後で検討する。

だが、これで問題が完全に消え失せるわけではない。四六時中、誰もが、いかなる場所からでも投稿可能なネットワークの世界を、完全にコントロールするなど絶対にできないからである。ロシアの影響力など比ではないのだ。情報の国境をめぐる治安をきちんと管理することなど、もはや民主主義にはできない相談なのだ。フェイスブックは世界を結びつけることを夢見たが、その夢はイギリスの有権者とだまされやすいメディアを結びつけることを意味した。無党派層の有権者をフェイクニュースの発信者に結びつけたり、選挙には行ったことはないが、児童保護が気がかりなアメリカの母親とテリーザ・ホンをつないだりすることでもあった。

選挙という選挙が軍拡競争になってしまった。軍拡競争の問題とは、勢いを削《そ》ぐことがとても難しい点に尽きる。テクノロジー企業は商品――人間がこれまで夢見たなかでも、もっとも高度に結ばれたコンピュータシステムのひとつ――としてITインフラを設計したが、いまやこうしたインフラが選挙で勝利する手段として使われている。赤のコーナーで構えるのは、影響力と支配力を備えた数十億ドルのビジネスで、一年ごとにその精度とターゲッティング能力を高めている。対する青のコーナーは、大量放送と戸別訪問の時代に考えられた、貧弱で時代おくれの選挙ルールである。

トランプの逆転大勝利の陰で起こっていたこと

二〇一六年のアメリカ大統領選の投票日当日は、民主党有利でスタートした。早々に始まった出口調査の結果も悪くない。分析担当者はヒラリー・クリントンの楽勝だと、自信たっぷりに予想を述べた。「ニューヨーカー」誌の編集者デビッド・レムニックは、この国最初の女性大統領について原稿を書いていた。フォックス・ニュースのプロデューサーは、東部標準時の深夜零時前までには、民主党勝利と報じると見込んだ。共和党は共和党で、責任転嫁の準備がすでに始まっているようだった。[36]

しかし、夜が更けるにしたがい、シナリオ通りに事が進もうとしない兆しが現れてきた。フロリダ州が思いのほか集計に手間取り、州内の地区について早々に報じたレポートのなかには、世論調査機関が予測した以上にトランプ支持の有権者が多いことを伝えるものがいくつもあった。オハイオ州の白人労働者層の投票率が、かなり高いという噂が聞こえる。ミシガン、ウィスコンシンの両州でもまだ結果が出てこない。以上を踏まえ、CNNの政治担当ディレクター、デビッド・シャリアンは、午後九時一五分、プロデューサーのテレンス・バーリッジに向かい、最終的にトランプの勝利で終わると思うと伝えた。「相手は気でも狂ったのかという目で私を見ていた。あの日の夜が普通ではないと、誰もが感じていたかもしれない」[37]

何週間にもわたりサンアントニオで働いたブラッド・パスカルも、ニューヨークのトランプタワーにいた。選挙の結果を知るためで、記事という記事にすみずみまで目を通していた。陣営の政権移行チームの一人、ダレル・スコットは一四階でブラッドを見つけた。ラップトップで開票状況を追っていた。スコットが「こちらの情勢は」と尋ねた。「どの地区でもほぼ独走状態だ」と、モニターを指さしながらブラッドがこたえた。[38] 共和党の広報担当者マット・シェルダンに宛てて、スコットはメールを送った。「コンピュータ担当の連中は、トランプの勝ちは動かないと言い始めている。たったいま、ブラッドが部屋のなかで紙飛行機を飛ばし始めた」

トランプタワーでは気分は高まる一方だったが、クリントンの選対本部の雰囲気はまったく違った。スタッフたちは生放送のインタビューを断ると、状況を把握するために、血相を変えて主要州の担当者を呼び出し続けた。午後一〇時、選対本部のプレスルームに置かれたテレビモニターが、ケーブルニュースの画面から、選挙キャンペーン中に使っていた宣伝映像に切り替わった。その場に居合わせたCNNのプロデューサーは、「これが潮時だと思った」という。[39]

間もなく午後一一時というころ、誰もが待っていた結果がついに公表された。激戦州のフロリダをトランプが制した。それまで同州ではこれという戦果もなく、世論調査も芳しいものではなかった。直後、やはり激戦州のひとつ、オハイオ州もトランプが制した。この日何度も繰り返されたように、分析担当者たちはクリントンが勝利に至る道を再計算した。ヒラリー・クリントンが過半数二七〇に至るマジックナンバーは、ペンシルベニア州（選挙人数二〇）、ミシガン州（同一六）、ウィスコンシン州（同一〇）を勝ちとる以外になかった。「クリントンの勝利への道は、ますます狭まる一方だ」と、CNNのアンカー、ジェイク・タッパーは視聴者に向かって語りかけていた。[40]

バラク・オバマの第一期と第二期の選挙キャンペーンで上級顧問を務めたジム・マーゴリスによると、「クリントンの選対本部にいたスタッフは、ウィスコンシン州とミシガン州の現地担当者に電話をかけ続け、なぜクリントンの勝利宣言を出さないのか問いただしていた。どの調査を見ても、いずれもクリントンの楽勝を示していたではないか[41]」。なんだかんだと言っても、過去六回の大統領選挙では、両州とも民主党を支持していた。彼らの支持が変わらなければ、クリントンには勝てる見込みがまだある。

ただし、ブラッド・パスカルはそうは思わなかった。数カ月前、プロジェクト・アラモのオフィスでケンブリッジ・アナリティカのユニバースを検証していたとき、ブラッドは陣営の勝利の可能性に気がついた。モデルを調べてみると、トランプへの投票を説得できる十分な数の無党派層や棄権者の存在を示していたのだ。ラストベルトと呼ばれるこれらの州に、ブラッドは集中的に予算をまわした。[42]「ほかの州から少しずつ削って集めた資金を、ミシガン州とウィスコンシン州にまわしたんだ」と、のちにCBSの「60ミニッツ」で語っている。

ジャレッド・クシュナーも、ペンシルベニア州で選挙キャンペーンをスタートさせようとトランプに勧めた。ここは崩しがたいクリントンの牙城で、民主党の〝青い壁〟が高々とそびえている。キャンペーンにはふさわしい場所ではないと、このとき狂気の沙汰だと指摘した専門家もいた。しかし、ブラッドはデータに従い続けた。

トランプがペンシルベニア州を物にしたのは、東部標準時でもうすぐ午前二時になろうという時間だった。これでトランプが獲得した選挙人は二六九名、そして、ヒラリーに開かれていた扉は固く閉ざされようとしていた。一時間半後、AP通信がトランプ、ウィスコンシン州制覇を伝えると、トランプが当選を確実なものにしたと報じた。

最後がウィスコンシン州というのが、この場合ふさわしいようにも見える。プロジェクト・アラモのデータ担当者を除き、誰もがトランプには勝ち目がないと踏んでいた州だからだ。一九八四年のレーガン以来、共和党の候補者としてトランプははじめてウィスコンシン州を制していた。AP通信の報道から数分してヒラリー・クリントンからトランプに電話があった。ヒラリーは敗北を認めた。得票数では二〇〇万票の差でヒラリーがまさっていたが、選挙人の獲得数ではトランプに及ばなかった。

それから数時間後、トランプは壇上の人になり、勝利演説を行っていた。集まった支持者のなかにひときわ目立つ者がいた。喜びに溢れかえる群衆のなかで、身長六フィート半（約二メートル）のブラッドは頭ひとつ抜きん出ていた。そして、ダレル・スコットのほうをちらりと見やると、ひと言こう口にした。「ほら、言った通りじゃないか」

アルゴリズムとビッグデータで武装した政治家

支持者ではない、あまりにも大勢の聡明な人々には、トランプの人気がどうしても理解できず、きっと投票者はブラッドやテレーザ、そうでなければプーチンにころりとだまされ、投票用紙のトランプの名前にチェックを入れたに違いないと考えた。この俗説が蔓延するのを喜ぶ関係者がいたのは、ビジネスの格好の宣伝になったからである。

多くのメディアで、勝利に貢献した天才としてケンブリッジ・アナリティカの名前が知られてからというもの、同社の人気は一躍高まった。「消防ホースから水を飲んでいるような感じだった。南極を別にすれば、当社は世界中の大陸という大陸の関心を集めていた」と、最近受けたインタビューのなかで、最高製品責任者のマット・オズコウスキーは語っていた。[43]

だが、事の真相はそれほど単純ではない。景気の低迷、対抗馬の失態、白人労働者層の反乱など、さまざまな要因がトランプを勝利に導いていたのは明らかである。そして、アメリカの歴史学者リチャード・ホフスタッターが書いた有名な一節――アメリカの政治には〝パラノイア〟が息づいている――の、あのパラノイアのせいである。そのパラノイアとは、強大で、正体も定かではない勢力によって、この国が乗っ取られるという恐怖から生じている。[44] こうした敵を迎え撃つ心情もまちがいなく作用していたはずだ。

二〇一二年のアメリカ大統領選では、オバマ陣営のスタッフが、説得可能かどうかに準じ、有権者を三〇のバケツに入れて仕分け、しかもグーグルのエリック・シュミットが選挙キャンペーンにアドバイスを与えていた。このときほど私が憤慨したことはこれまでになかった。リベラル派の連中も、自分たちの仲間がやっていることだからと、このアイデアには至極ご満悦のようだった。だが、それはまちがっていた。

二〇一六年は双方ともに人気がない候補者による、どちらかと言えば接戦となった選挙で、しかも主要な注目州の数も限られた選挙だったが、そのなかにあってプロジェクト・アラモの決意は揺るがなかった。デジタルにすべてを懸けたブラッドの決断、ケンブリッジ・アナリティカの巧妙なユニバース、フェイスブックの現場支援、これらが目指していたのは、トランプがここぞという地区で、これぞという人たちに、的確なメッセージをそれにふさわしいタイミングで届けるためにほかならなかった。

大量のボットを投入したり、荒らしたりするトランプらしい論争をネット上で引き起こしたが、それらも十分にうまくいった。最終集計が公開されてみると、投票総数六〇〇〇万票のペンシルベニア州では、トランプは得票差四万四〇〇〇票で勝利し、ウィスコンシン州は得票差二万二〇〇〇票、ミシガン州は一万一〇〇〇票の差だった。いずれも僅差にすぎず、それぞれ有権者の一パーセントにも満たない。その彼らがヒラリー・クリントンを支持していたら、予想通り、大統領に選出されていたのはヒラリーだったはずだ。

選挙という選挙がこのような接戦になるというわけではない。しかし間もなく、ほぼすべての選挙が、ビッグデータ、アルゴリズム、粒度の高いターゲティング、自然《オーガニック》で正真正銘だと思えるコンテンツなどが結合された、似たような組み合わせのもとで進められることになるはずだ。これは、トランプが選挙を〝盗んだ〟という話ではない。選挙の信頼性そのものが危機に瀕しているのかという問題の前では、誰が勝つとか負けるとかという話など、大した問題ではないのだ。

選挙はハードウェアとソフトウェアから成り立つ。ハードウェアとは、誰に一票を投じるのか、有権者の意思決定をめぐる技術的な規定で、候補者の嘘偽りのない説明、投票所の設置、候補者の登録などのことである。しかし、選挙は同時にソフトウェアで成り立っている。投票は、有権者が正確な情報に基づき、自らの利益を正しく理解したうえで、本人の冷静で自由な判断に委ねなくてはならない。もし、有権者本人が気づきようもない方法で、誰かがこのソフトウェアに不正な影響を与えることができるようになれば、自由で公正な選挙でなくなるのは言うまでもないだろう。

使われている技術を理解できず、それを使った相手に責任を課すことができなければ、そこにあるのはそら恐ろしい行く末だ。彼らにはソフトウェアを乗っ取ることができるので、データを持つ者は誰であれ未来を独占することが可能になる。乗っ取るだけで違いを生み出すには十分なのである。

新しいボスと会ってみるといい。結局、そのボスは昔のボスと大差がない。ただし、新しいボスは、アルゴリズムとビッグデータで武装している。

第4章　加速する断絶社会

◉AIによって社会はどうなるのか

サイエンスフィクションが猛烈な勢いでサイエンスファクトへと変貌を遂げつつある。飛躍的に改善された人工知能が経済活動に影響を与え始めている。しかし、〝雇用なき未来〟に考えをめぐらすより、私たちが懸念すべきは拡大する一方の不平等であり、来たるべきテクノロジー革命によって、中流階級が一掃されてしまうかどうかという問題なのだ。

自動運転のトラックに同乗する

シリコンバレーの大半の新興企業と同じように、スタスキー・ロボティクスも睡眠など二の次と考える二〇代の青年二人によって創設された。新技術で成功を収めるハイテク起業には、技術に精通している者と、ビジネスがよくわかっている者が必要だが、特異な才能だけに、一人の人間がいずれの才能にも通じていることはめったにない。スタスキー社ではカルディーク・ティワリが〝技術担当〟で、専門は人工知能。そして、ステファン・ステルツ＝アクスマカーは、いわゆる〝連続起業家《シリアルアントレプレナー》〟として、新興事業を何度も立ち上げてきた。

この会社の事業領域はトラック輸送だが、お気づきのように、二人ともトラックが専門ではない。だが、この点に関し、投資家が気にしていないのは、ベンチャーキャピタルから創業資金として何百万ドルもの資金を集めていたからである。スタスキー社の社員は一一名、自律走行する輸送を実現することで、トラック輸送業界全体に革命を起こそうという野心を抱いている。

「気でも触れたんじゃないか、みんなそう思っていました」。数カ月前、フロリダ州にあるスタスキー社の本部を訪問した私に、二七歳のステファン・ステルツ＝アクスマカーは語った。会社は周囲を壁で囲まれたゲーテッドコミュニティーにあり、賃貸だが広々とした敷地だ。気が触れたと思われたというが、最近ではトラック輸送もデータサイエンス、人工知能、ベンチャーキャピタルに侵食されつつある。

ステファンの許可を得て、ピカピカに輝く同社の最新トラックに乗せてもらえることになった。運転するのは二〇年の経験を持つトニー・ヒューズ、小柄で優しそうな人物だ。会社の専属ドライバーだが、正確にはドライバー兼マシン・アドバイザーと言ったほうが合っている。年齢は四〇代、カンザス州のショーニー・ミッション・ノースウエスト高校の普通科を卒業、「効率的でコストにも優れた運送業務の達成に関し、確固たる実績」を有しているが、現在は最後には自分の仕事を奪ってしまう、コンピュータにトラックの運転を教えている。

ここ数カ月はスタスキー社のトラックに乗り、ソフトウェアが運転に関するデータを集められるよう、特定のコースの行き来を何度も繰り返してきた。この実験を通じ、ソフトウェアは、トニーの行動方法と彼の行動を模倣する方法を〝学習〟する。現在の法律では、トラックの運転は人間に限られ、いずれにせよソフトウェアはまだ〝開発者用〟で、不測の事態に備えて責任者が同乗する必要がある。監視のためにトニーが乗っている。ステファンもカルディークも、トラック輸送界の根っからの大立者ではなく、実際にトラックをどう運転すればいいのか、技術にも精通していない。

空荷のまま国中をぐるぐる走りまわるより、いくばくかの利益を取ったほうが望ましいので、ソフトウェアの訓練かたがた、スタスキー社のトラックは実際に荷を積んで走ることがある。フロリダ州オーランドで乗り込んだ〝ローズバッド〟には（どうやらトラックごとに名前がつけられているようだ）、トニー、ステファン、カルディークらといっしょに、五〇〇〇ポンド（約二・三トン）の空っぽの牛乳パックが積まれていた。目的地はここから南に向かって約二〇〇マイル（約三二〇キロ）にあるディアフィールド・ビーチの倉庫だ。

トニーの足元とハンドルの向こう側にあるのは、稼働中のケーブルやポンプ、ピカピカに輝くレバーやたくさんの歯車だ。いずれも運転席のうしろに置かれたコンピュータにつながっており、コンピュータはカルディークが制御している。車のアクセルやブレーキ、ハンドルの操作は、ソフトウェアがリアルタイムのデータに合わせて絶えず調整している。車の位置や速度、道路標識、他の車両の位置と速度などのデータは、車外に装着されたレーダー、コンピュータビジョンのセンサーによって収集されている。

私たちは手狭な生活道路を抜け、州間高速道路九五号線に合流した。

「そちらの用意がいいなら、自動走行のスイッチにはいつでも切り替えられるよ」。トニーがステファンに声をかけた。

「ローズバッド、自動走行開始」。ステファンがトランシーバーに向かって大声をあげ、研究メンバーに伝える。彼らは別の車でついてきている。

トニーが青色の小さなスイッチを入れた。〝手動運転〟から〝自動運転〟に切り替わった。トニーの束縛から逃れたように、トラックは小さく身震いした。背を伸ばしたトニーは、脚を組んでリラックスしている。「ローズバッドのことは一〇〇パーセント信用している。何カ月もかけて教えてきたからね。いまじゃ、私とどっこいどっこいだよ」

ドライバーなしで、四〇トントレーラーが地響きを立てながら進んでいくのだから、もちろん、恐ろしくもあり、わくわくもする。州間高速道路で最初の大きなカーブが近づいてくると、私は乱気流に突入した旅客機に乗っているように身構えた。同乗者に目をやったが、トニーはなんでもない様子だ。言うまでもなく、ローズバッドは難なくカーブを曲がった。緊張がほぐれてくるにしたがい、むしろ幅員があり、長い直線道路が続くアメリカのフリーウェイでは、事故など起こらないのが当たり前だと気がついた。

「フリーウェイは自律走行には理想的な道路です」と、順調に走行していく最中、ステファンは教えてくれた。ディアフィールド・ビーチに向かう七〇パーセントの道のりは、完全にコンピュータによる走行だった。乗車からしばらくすると、いささか感激は薄れ、自律走行の物珍しさは退屈の前に膝を屈していく。そう感じるのが普通のようだが、ドライバーは運転する機会が実際に減ることで、緊急時の対処能力は衰える。エンジニアのなかには「注意力の減少」のリスクを懸念する者がいる。

私の退屈は、徐々に兆していたある思いに取って代わられていった。サイエンスフィクションは、実に急速な勢いでサイエンスファクトに変貌を遂げつつあると思ったのだ。*

二〇〇四年、権威あるマサチューセッツ工科大学（MIT）のAI研究者らは、自律走行車は夢物語だと結論づけた。運転とは、人間の直感と運転技能が深くかかわっているテクニックだからである。[1] そうは言いつつも、デジタル・テクノロジーの進化の速度を軽視してはならない。現在、ウーバーやグーグル、テスラ、メルセデス、ボルボ、スタスキーなどの各社が、何百万ドルもの投資を続けている。イギリスを含め、国によっては〝現実世界〟での実験を奨励しており、イギリス首相も二〇二一年には、無人自動車が公道を走っていることを期待している。ただ、事はそのように進んでいるものの、規制や保険の問題もあり、技術上の問題ではなく、そうした理由で開発が遅れるかもしれない。

人間の能力を超えていくディープラーニング

自律走行車は、グローバル経済を席巻しつつある人工知能革命のひとつの応用にしかすぎない。緩やかに進展し、前触れもなく加速する人工知能の躍進は、二一世紀、人類がはじめて体験するまぎれもない大パニックのあとに訪れる。大パニックとは、現在、人間によって行われているあらゆる仕事という仕事がロボットに取って代わられ、人間はみな失業に追いやられてしまう事態のことだ。この問題についてメディアは、ぞっとするような見出しを掲げ、楽しんでいる節さえうかがえる。**

人工知能については、払拭しておかなければならない二つの誤解が蔓延している。ハリウッド映画や新聞や雑誌の息を呑むような見出しにもかかわらず、人間の知性と同等のレベルにわずかでも近づけるコンピュータなど皆無なのだ。ここでいう〝知性〟とは、「異なる一連の領域において、人間と同じように仕事をこなせる」と定義づけることができる。いわゆる〝汎用人工知能〟として知られるものだ。意見は分かれるところだが、専門家の大半は、コンピュータがこのレベルの知性に到達するまでには、さらに五〇年から一〇〇年はかかるだろうと考えている。

ただし、忌憚なく言うなら、本当のことを知ろうにも誰も手がかりさえ持っていないのだ。そして、コンピュータが意識を持つかどうかという話は、まったく別な問題であり、それはロボット研究者ではなく、むしろ哲学者に委ねるのがいちばんふさわ

＊　無人走行する大半の自動車に組み込まれているソフトウェアは、おおむね同じ要領で機能する。センサーはドライバーの行動を〝見る〟ことができ、主に道路標識やほかの車、歩行者に対し、どのように反応するのかプログラムされている。人間とは違い、死角というものが機械には存在しない。事実、多くのソフトウェアが、他のドライバーの死角を分析できるので、彼らを避けることができるのだ。例年、自動車事故で死亡する世界一三〇万の犠牲者の大半が、ドライバーのミスによって命を落としている。だが、自動運転が普及したあかつきには、私たちはすでにこの事実を忘れているので、自動運転で犠牲者が出た場合、無人走行がいかに危険であるのか、それをめぐって反発が起こるのは必至だ。

＊＊　「ロボットに仕事を明けわたすことになる」と「マザー・ジョーンズ」誌は予言し、「ガーディアン」は「ロボットはわれわれの仕事を破壊する」と自信満々に報じた。

しい問題だろう。

〝領域特化型〟ＡＩと〝機械学習〟として知られる人工知能の本来の活動を知るうえで、映画『ターミネーター２』のスカイネットとヒューマノイドはほとんど役に立たず、むしろ人類に攻め込む機械の軍隊という脅迫観念を高めてしまった。アルゴリズムにデータを入力するのは人間で、それぞれのインプットが何を意味するのかを教える。アルゴリズムはそこからパターンを見抜くと、人間の特定の行動を真似たり、あるいは、ごく限られた具体的な作業を行ったりすることができるようになる。州間高速道路の走行や天気予報、クレジットカードの信用偏差の採点、車のナンバープレートの読み取りなどだ。

機械学習は何十年も前から研究が行われ、たとえばアマゾンの次の購入品のお勧めやフェイスブックの新しい友だちなどのように、経済活動のさまざまな場面ですでに取り込まれている。機械学習は入力するデータに依存しており、大量のデータが収集できるようになった現在、機械学習もまた急速に拡大しつつある。コンピュータの価格がさがったこともまた、パワフルな自己増強型のフィードバックループを築くうえでひと役買った。

機械学習の能力は、入力データが多ければ多いほど向上する。能力が向上すれば新しいデータをさらに処理することが可能になるので、学習能力はますます高まる。この反復が繰り返されていく。洗練を繰り返すことで、機械学習は四六時中、進化を続けているのだ。機械学習は、人間が法則を用意し、そのルールに則って機械にデータを処理させることで学習モデルを認識していくが、最新の機械には、人間がルールを用意しなくとも、独自に学習モデルを認識する機械がある。「ディープラーニング」と呼ばれるものだ。人間の脳内のニューロンの層が、神経回路網を通じてパターンを特定したり、瞬間的にイメージを結んだりする活動を模したのがディープラーニングである。[2]

ディープラーニングが従来の機械学習とどのように異なり、またこれまで以上の能力を秘めているのかを理解するには、古代から中国に伝わる囲碁を例に考えてみるといい。機械がチェスで人間を破ってからすでに数年がたつが、しかし、囲碁ではなかなか人間に勝てなかったのは、動かせる石の可能性が桁はずれに違うからである。ひと試合で繰り広げられる局面の組み合わせは、宇宙に存在する原子の数よりも多い。

数年前、人工知能を研究するグーグルの子会社ディープマインドは、「アルファ碁」というコンピュータ囲碁ソフトを開発した。棋譜に記された何千という人間の手を使い、アルファ碁は〝従来〟の機械学習と同じ方法で学習を重ねた。たとえば、盤上のXの地点に石があれば、人間はYという地点に石を動かし、同じようにAの地点にあれば、人間はBに動かすという具合に教え込まれた。こうした方法で学習を開始したアルファ碁は、これを何十億回と繰り返して囲碁に関する知識の改善を図った。二〇一六年、世界最強の棋士とされる李世乭《イ・セドル》を破って、多くの専門家を驚かせた。

しかし、この驚愕の結果も、二〇一七年秋、ディープマインドが「アルファ碁ゼロ」をリリースしたことで、瞬く間に超えられてしまう。「ゼロ」の訓練には人間の対局データがまったく使われておらず、前例とは無縁のままディープラーニングによって、勝ち方の法則を独自に学習していった。当初は惨憺たる結果だったが、対局のたびに徐々に改善され、四〇日以内には、自分との対局を絶え間なく続けることで、実力をはるかに高め、オリジナルバージョンのアルファ碁を一〇〇勝〇敗で完勝するまでになった。囲碁は現在、「人間が機械には二度と勝てないゲーム」として、評価が定まってしまった。

機械学習こそ次なる大ブームだと、シリコンバレーの大方の人間は口をそろえて言う。なかにははるかに楽天的に考える者もいて、人工知能の影響の大きさを「ステロイド剤で増強された科学的手法」とか、ペニシリンの発明や電気の発見に譬える者もいるが、一方で、テスラやスペースXを経営するイーロン・マスクはつい最近、人工知能は「悪魔を呼び出す」と語った。ただ、中国の検索エンジン百度《バイドゥ》の元主任研究員アンドリュー・エンは、（人工知能によって）会社という会社は瞬く間に〝変貌を遂げる〟と見なしている。

新たな雇用の創出と、大量の雇用の喪失

限定された作業なら、人工知能はすでに人間よりうまく作動するようになり始め、わずかではあるが、応用例をひそかに増やしつつある。過去一年にわたって、自動車の運転、レンガ積み作業、果物の収穫、銀行取引業務、証券取引、在庫管理などの分野に人工知能がすでに進出している。法曹関連のソフトの開発会社が現在進めているのは、過去の判例を分析し、ふさわしい法廷戦術を推奨する統計的予測に基づくアルゴリズムだ。入社志望者の履歴書を分析するソフトは、いまや会社で日常的に使用されるようになり、いかにも不適当な志願者（レベルAに相当する能力を有していない者など）のふるい分けに使われている。

複雑なデータモデルを使うことで、現在では投資戦略に関してもソフトウェアで予測できるようになった。コンサルティング会社のマッキンゼー・アンド・カンパニーは、八〇〇種の職業に関連する二〇〇〇の業務を調査した。その結果、人を雇用して行っている二〇〇〇の業務のうちの四五パーセントは、すでに実績が立証された現行のテクノロジーと代替可能であるという事実が判明した。イングランド銀行も最近、今後一世代のうちに一五〇〇万の仕事が不要になるという、マッキンゼーと同様な指摘をしている。

私自身、これらの予測はさほど深刻に受けとめていない。こうしたソフトの多くはまだ誕生してから日が浅いものばかりだ。新しいテクノロジー革命が到来するたびに、似たような推測が横行し、その多くは見当違いもいいところだった。もっとも明晰な頭脳の持ち主でさえまちがえることはあるのだ。一九三〇年代、ジョン・メイナード・ケインズは、イギリスは「技術的失業」を目の当たりにすることになるだろうと心から信じていた。経済が新たな雇用を生み出すよりも、機械が雇用を奪っていく能力のほうが上回っていくからである。

これまでにも技術開発によって混乱が引き起こされたことはあったが、雇用を喪失してもそれにかわる新たな（そして、しばしば以前よりましな）仕事を見つけることができた。詰まるところ、機械は生産性を上昇させるものであり、結果として投資意欲と需要がかき立てられていく。[3] 一九八二年から二〇一二年のアメリカの労働人口を分析した最近の調査によって、コンピュータの使用頻度が高いいくつかの領域（ゲーム開発、グラフィックデザイン、プログラミング）では、雇用が拡大していることがわかった。[4] そして、大半の例では、テクノロジーによる生産性の向上は、かならずしも雇用の減少を意味せず、むしろ現在の雇用状況を好転させていたのだ。

今後数年のうちに、AI技術を使って医療診断ができるようになっても、それで医者の数が減るということではない。治療を受ける患者にとってむしろ好都合なのは、スキャンの結果に医者が手間取る必要がなくなるからだ。雇用と産業の行く末を見通すことなど、たやすくできる芸当ではないのである。ウェブ開発者、アプリ開発者、ウーバーのドライバー、ライフスタイルのコーチング指導者をはじめとするたくさんの職業、さらに現在、何百万もの人々が携わる仕事も、二〇年前には存在していなかった。

ローズウッドに運転を任せながら、州間高速道路九五号線を勢いよく走っていたとき、ある思いがふいに頭をもたげた。本当に大変なのは実は仕事ではなく、不平等の問題であるのだ。

無人走行トラックによって、これまでになかったすばらしい雇用機会が生み出されるはずだ。* スタスキー社の社員はみな高い教育を受けており、ロボット工学の専門家、エンジニア、機械学習のエキスパートなど、すばらしい仕事をなし遂げる、やる気満々の若者たちだ。こうした彼らが雇用機会を生み出してきたが、その雇用とは彼らにふさわしいものだった。

＊　二〇三五年の時点で、新たな産業は二八〇億ポンドの価値を生み出しているとイギリス政府は試算する。なんとも大甘な臆測でしかないが、これが全面的な見込み違いと判明されたあかつきには、こんな数字も忘れ去られてしまうだろう。

だが、彼らが成功することによって不要となる仕事も出てくるはずだ。もちろん、ドライバーという職業が消滅するわけではない（ステファンの話では、トラックから降りたあとも、そのまま残るドライバーがおり、オフィスで複数のトラックを制御したり、車両の多い倉庫や入り組んだ環状交差点周辺で、トラックを操作したりする要員として働くことになるという）。さらに、少なくともアメリカではトラックのドライバー不足は依然として続く。しかし、何年かすれば、現在のような数のドライバーはどうやら必要とされなくなるようだ。[5]

ドライバーのトニーにとって、トラック輸送は一九九〇年代半ばから勤め上げてきた仕事だ。つらくて、孤独な仕事だ。しかし、大卒の資格がない大勢のアメリカ人には、高額な給料が手にできる職業のひとつである。とくにアイオワやノースダコタのような貧しい州においてはなおさらだ。[6]アメリカ人の三パーセントがなんらかの形で、トラック輸送関連の仕事に従事している。[7]

職を失った彼らドライバーが、ステファンやカルディークが生み出した最先端の仕事に、多少なりともかかわれるのだろうか。ひと握りの者ならありえるかもしれない。トニーのように、ソフトウェアの訓練という仕事をすでに始めている者もいる。ほかの者はたぶん、もう一度技能を取得しなおし、地を這いながら成功の階段をのぼっていかなくてはならない。失業中の五〇代のトラックドライバーを、ウェブ開発者や機械学習のスペシャリストとして雇えばいい――何ひとつ不可能なことはないと信じる、シリコンバレーの世間離れした幻想のもとで、私はそんな話を何度も聞かされた。だが、こんな都合のいい自己欺瞞を本当に信じている者など誰ひとりとしていない。

再雇用されようにも、必要なスキルを持ちあわせていないトラックドライバーの大半は、たぶんもっと危険で、給料も安い、不定期な仕事、おそらくタクシードライバー（この仕事がまだ存在すると仮定して）に横滑りする可能性のほうがはるかに高い。あるいはアマゾンで倉庫の作業員として働くか、メカニカルターク（訳註：アマゾンが提供しているサービスで、人手を使い、コンピュータが苦手とする非効率的な単純作業を代行する。仕事内容は電子掲示板で公開される）の請負として、時間いくらでソフトの訓練相手となったり、調査アンケートにこたえたりする。

彼らも機械の掃除ぐらいならできるだろう。その機械は別の機械の掃除を行い、そのまた別の機械は、無人走行のトラックを修理する。そして、そのトラックのハンドルこそかつて彼らが握っていたハンドルなのだ。*

＊　古いジョークをひとつ。未来の工場の従業員はたった二名。男一名と犬一匹だ。男はこの犬にエサを与えるために工場にいる。犬がここで雇われているのは、男が装置に触らないよう見張っているため。

ルーティン・ワークと非ルーティン・ワークの段差

人工知能で生産性が飛躍的に向上すれば、富が広くいきわたると私たちは信じている。そう考えるのももっともだ。ただ、この富という戦利品をどう分配すればいいのか、これはひと筋縄ではいかない問題である。囲碁やチェスで人間を打ち負かした機械さえしのぐ人工知能というだけで、現在、人間が行っている有用な仕事をひとつ残らず、こうした機械が引き受けられるという話にはならないだろう。

たとえば、きわめて複雑な計算など、人間が〝考える〟ことの多くは、機械によってすみやかに再現することができるだろう。型通り《ルーティン》で予測可能なタスクなら、機械は人間よりはるかに速く、しかも高い精度でこなせる。反対に、人間があまり考えもせずにやっている動作の多く、たとえば床に落ちたトランプを拾い上げたり、靴のひもを結んだりするような挙動は、機械にとってははるかに難易度が高い。

予測不能の状況に対する人間の対応、とくに感覚運動技能が欠かせない状況では、機械は著しく人間に劣る。「モラベックのパラドックス」として知られている矛盾で、ロボット工学者のハンス・モラベックに由来する。モラベックは、高レベルな論理的思考ほど計算能力はあまり必要とせず、逆に低レベルの感覚運動のほうが多くの計算資源が必要であることに気がついた*。もちろん、知性の深みと広がりということでは、いまだに人間が楽勝であるのは言うまでもない。

このパラドックスから、無視できない、あるやっかいな問題が浮上してくる。つまり、もっとも失業の危険にさらされている職業とは、機械が造作もなく行えるルーティンなタスクを伴う仕事ということになる。逆にもっとも安全で、存続していく可能性が高いのは〝非定型《ノン・ルーティン》〟の仕事だ。

私たちの経済が奇妙な点は、非定型の職業の場合、きわめて高賃金か、きわめて低賃金かのどちらかになる傾向がある点だ。スタスキー・ロボティクスあるいはグーグルで機械学習を担当する者は、非定型の労働者であり、予測不能な状況のもと、直感や創造力、独自の考えを持って仕事に携わっている。その点では、庭師や介護士、デリバルーの配達担当（訳註：デリバルーはロンドンで急速に拡大している食品宅配サービスで、バイクや自転車を使って配達する）も変わりはない。

今後、機械に乗っ取られる危険に直面しているのが〝定型認識〟と呼ばれる職種で、一定の基準を正確に達成することが求められる仕事である。列車の運転手、住宅ローンのアドバイザー、株式アナリスト、パラリーガル、与信管理士、融資担当者、簿記

＊ 少なくとも現在、ロボット工学を専門とする会社は、コンピュータの計算能力を高めることで、このパラドックスを乗り越えようと懸命に取り組んでいる。

担当者、税理士、放射線技師は、職業の再訓練を考えたほうがいい。

こうした職業が失われた場合、私たちが向かう先は、マサチューセッツ工科大学（MIT）で労働市場経済を研究するデイビッド・オートーが呼ぶ「バーベル型経済」で、ある種のすさまじい不平等がはびこる経済だ。テクノロジー、ことに人工知能を使った仕事につけるスキルと勤勉さと財力、そして運に恵まれた者なら、生産性と賃金の大躍進を目の当たりにできる可能性は十分にある。

サービス業は、オートメーション化が図られてもたくさん残っているが、賃金はさらに引き下げられ、不安定なままである。何百万人という者がすばらしきテクノロジー革命の勝者に仕え、その世話を焼き、食事を提供するために競い合っても、賃金はますます低下していく。二〇三〇年の労働市場は、高賃金のフェイスブックで働くか、それともこうした多忙で重要な者たちを相手に、自転車に乗り、最低限の賃金で食事を届ける仕事につけるチャンスをものにするかのいずれかだ。しかし、地元紙の記者、パラリーガル、トラックドライバー、税理士は、運がよければ、安定した非定型認識の仕事が得られるかもしれない。

私としては犯してもいない罪を理由に、人工知能を法廷に立たせたくはない。とはいえ、テクノロジーによるこの種の不平等はお馴染みのパターンだ。「全労働者、もしくは労働者の大半が、技術的進歩で生じた恩恵に浴せることを示す経済法則は存在しない」と、アンドリュー・マカフィーとエリック・ブリニョルフソンの二人は、かの『ザ・セカンド・マシン・エイジ』（日経ＢＰ社）のなかで書いている。グローバリゼーションのような別の要因が作用していたにせよ、過去三〇年にわたるテクノロジーの進歩こそ、経済的不平等が拡大した主要因だということをこの本は説得力をもって断言する。

高い技術力を持つ者ほど新たなテクノロジーの恩恵にあずかれる傾向があり、技術を持たない者が受ける恩恵ははるかに少ない。アメリカでは生産性が上昇を続け、ピカピカに輝く新しいビルが建ち、企業の利益は右肩あがりを続けるが、平均給与は下落を続けている。同様にイギリスでも、生産性は一九七三年から二〇一一年のあいだで八〇パーセント上昇したが（ＯＥＣＤの水準は下回る）、中央値の労働者の時給賃金の上昇は、実質ベースでわずか一〇パーセントにすぎない。社会民主主義の国であるスウェーデンや中小企業《ミッテルシュタント》の国ドイツを含め、世界中の国々で高額所得者と企業のトップは豊かになる一方だが、中間層、最下位層に属する大半の人の賃金と資産は、一九七〇年代以降、まったく増えていないのだ。

ここにこそ、誰も考えたことのない、別の姿をした不平等が存在する。一般にテクノロジーは、資産を持つ者、あるいはその技術を活用できる者の力を高めるものであり、その技術が強力であるほど、この傾向はますますはっきりと現れる。第１章で私は個人向けのAIアシスタントについて触れた。誰もがこのAIアシスタントを使い始めるようになったとしよう。

こうしたAIアシスタントは、所有者の価値を最高に高めるばかりか、休日の格安な過ごし方や、もっとも賢明な法律上のアドバイス、説得力に溢れた履歴書さえ書いてくれる。そして、AIアシスタントのなかでも最上位の製品を買える余裕のある者は、社会的上昇をますます高められる可能性を知り、そうでない者はさらにおくれを取っていく。この種の格差がとりわけやっかいなのは、賃金や資産価値などの水準は、政府や学術研究によって把握されているが、こうした不利益の特定はひと筋縄ではいかない点だ。

高い技術力を持つ者が有利なのはこれだけではない。労働をめぐり、デジタル・テクノロジーは、資本家に対する金銭的な見返りをますます増大させていく。機械は利益配分など要求しないからである。つまり、機械による生産性向上の果実は、当然のことながら所有者のものとなり、通常、その規模は半端ではない。労働者対資本家の国内総生産（GDP）の分配比率もここ数年、縮小が続いている。アメリカでは二〇世紀の大半を通じ、労働者と資本家の国富の分配比率は六六対三三だった。いまやそれが五八対四二である。

二〇世紀を通じ、この傾向を阻んでいたのが労働組合で、企業利益という戦利品の取り分を広げた。労働組合が徐々に退潮したことで、富の平等性は破綻した。状況は想像もしなかった苛酷な展開をもたらし、新しいテクノロジーが生み出した〝ギグエコノミー〟（訳註：「ギグ」は「単発または短期の仕事」という意味。インターネット経由で非正規雇用の労働者が請け負う労働形態と、それによって成立する経済環境のこと）のもとでは労働者は団結すらできない。だが経営者は、テクノロジーが進化したおかげで、労働者を監視したり、管理したりする新しい手段を手に入れた。テクノロジーの影響で、組合の結成はますます遠のいている。* 経済は二つに分岐し、その頂点では、世界でもっとも富裕な八名の男が、世界の最貧困層の半分以上の資産を所有しているのだ。そして、八名のうち四名はテクノロジー企業の創業者である。[8]

＊ ウーバーもデリバルーも、重要性をますます高めている産業の一部だ。ギグエコノミーは、収益化が可能な企業を取り込み、その範囲は、カーシェアリング（リレーライズ）、家事代行サービス（タスクラビット）、オートバイのレンタル（リキッド）、融資サービス（レンディングクラブ）、Ｗｉ‐Ｆｉコミュニティー（フォン）、衣服などの共有（ネイバーグッズ）に及ぶ。イギリス人事教育協会の調査によると、イギリスではすでに一三〇万人前後の人々がギグエコノミーで働き、しかもこの数字は、今後数年で大幅に増大していくと見込まれている。

テクノロジーが「不平等」をあおっていく

経済の話ばかりしてきたが、本書はデジタル・テクノロジーをめぐる経済の本ではなく、あくまでもテクノロジーと政治に関する本である。自由市場経済では、ある程度の不平等は避けられないものであり、また必要でもあるのだが、深刻な不平等は民主主義にとって好ましいものではない。健全な民主主義は活動的で、厚みのある中間層の存在にかかっていることが立証されている。民主主義のバックボーンはこの階層に属する人々が構成している。新聞の購読や政党への参加、あるいは慈善活動を主催したり、コミュニティーの事業に投票したり、参加したりしている人たちのことである。

不平等の影響を数十年にわたって調査した研究に基づくなら、バーベル型経済の数ある影響のなかでも、とりわけ深刻な結果は、課税基盤の縮小であり、犯罪発生率、鬱病や薬物依存の発症率、乳児死亡率の上昇であり、平均寿命は低迷し、健康状態も悪化すると確信をもって予測することができる。[9]

社会を織りなす紐帯もまた、高止まりの不平等ですり切れていく。生活の格差が広がるほど、生活レベルが異なる者同士がともに過ごす時間は減るので、たがいへの信頼はさらに薄れていく。皮肉な話だが、たがいに信頼しあえる社会であるほど、イノベイティブで起業家精神に富む社会になれるのは、こうした社会こそ、世界は信頼できる人間とチャンスで満ちていると人々が考えているからだ。[10] だが、なんといっても重要なのは、中間層が民主主義のもっとも熱心な支持者であるという点だ。

マルクスは最初の革命はイギリスで起こると予言したが、イギリスで革命が起こらなかった理由のひとつは、労働者階級が資産を所有する、広範な階層に育っていたからである。守るべき何かを持ち、社会との関係を結ぶことで、こうした人々の集団は他の集団よりも、個人の自由、所有権、民主的な説明責任などの価値について、それをわがものとする経験を何度も繰り返してきたのだ。[11] 中流階層の出現、とりわけヨーロッパとアメリカで中流階層が出現したことは、一九世紀と二〇世紀の両世紀において、政治システムとしての自由民主主義の正統性を高めることになった。[12]

テクノロジーにあおられた不平等がはびこると、何が起こるのだろうか。それを知るには、そもそもすべてが始まったまさにその場所、つまりシリコンバレーと、シリコンバレーの割を食わされたサンフランシスコにまさる場所はない。シリコンバレーには二つの世界が存在しており、その二つの世界が出会うことはほとんどない。

ひとつ目の世界は、開放感のあるオフィスで胸躍らせながら仕事に励む新興企業だ。ビーンバッグの椅子、テーブル・フットボールが置かれ、ＴＥＤトークが流れて、社員はビーチサンダルで歩き回っている。この地域で働く五〇万人のテクノロジー企業の社員は、一〇万ドルを余裕で超える平均年収を期待することができる（規模が大きい企業であれば、平均給与はさらに上回る）。大半が四〇歳未満で、サンフランシスコ周辺のにぎやかな地区で暮らしているのは、シリコンバレーという町自体はSFホラー映画『ステップフォードの妻たち』のように、美しいが無機質な町だからだ。

毎朝、何千という従業員が、会社が手配した通勤バスに乗り込んでいく。シャトルバスにはＷｉ‐Ｆｉが完備されている、急増しつつあるサンフランシスコの高級住宅街の通りには、こうしたピックアップ地点が無数に用意されている。国道一〇一号線に乗り、バスは一路メンローパーク（フェイスブック）やサニーベール（ヤフー）、マウンテンビュー（グーグル）へと向かう。めくるめく高揚感と進取の取り組みの聖地に目は釘付けだ。

だが、この世界のかたわらにあるのは、もうひとつ別の世界だ。そこに住むのは、進歩へと狂奔する波から取り残された人々である。新興のハイテク起業に相手にされなかった彼女たちは女性蔑視だと不平をこぼし、ウーバーのドライバーは、サンフランシスコから七〇マイル（約一一〇キロ）離れた場所で暮らし、ゼロ時間契約（訳註：就労時間の保証や賃金保証もないまま、雇用者の呼びかけに応じて勤務する労働契約。その時々に求められた時間だけ働き、待機時間に賃金は発生しない）で働くことを余儀なくされている。

家主が持ち家をエアビーアンドビーに貸し出すため、長年暮らした家から追い出された者がいる。ここはマイノリティーが、低賃金のサービス業に従事し、ハイテクベンチャーで働く豊かな白人に仕えることで、日々を生き抜いている人たちが暮らす場所だ。サンフランシスコとシリコンバレーの平均的な住宅価値はいまや一〇〇万ドル、寝室が二つあるアパートの家賃相場は月額三〇〇〇ドルだ。テクノロジー企業の従業員以外には、到底払えるような額ではない（サンフランシスコの平均年収は四万六〇〇〇ドル。フェイスブックやグーグルででも働いていなければ、年収は平均を下回る）。

アメリカでももっとも豊かな都市のひとつでありながら、確認されたホームレスの数は一万五〇〇〇人――人口一人当たりのホームレスの数値はこの国でもトップクラス――でなんとか生き延びているが、メンタルヘルスや薬物依存など深刻な問題を抱えている者も少なくない。サンフランシスコ（そして、カリフォルニア州の多くの町）ではホームレスは積年の問題で、最近訪問した際には、以前よりひどくなったと地元の人は話していた。誇らしげにまばゆく輝くこの大都市のもうひとつの側面で、使い捨てられた注射針、し尿とフードバンク、極貧の臭いがふんぷんと漂っている。そしてそのいくつかは、世界最大にして、もっともクールな企業が生み出した、文字通りの陰の世界なのだ。

ある朝のことだった。大勢が行き交う歩道で、人目をはばからず麻薬を打っているジャンキーを目撃した。まだ、午前九時前である。そして、同じ通りを白いイアホンをつけた技術者《テッチー》らしき者たちが、しかるべき居場所を約束されたように、勤務先のまばゆく輝くオフィスへと吸い込まれていった。

ベーシックインカムの原資は誰が負担するのか

ある地点に達すると、この創造的破壊はいずれも許容できるものではなくなり、その他の点では勝者でさえ同じだ。純資産一兆ドルのひと握りの人間がいる一方で、その他大勢は失業者か、働いていても雀の涙ほどの賃金しか手にできない。そんな世界で暮らしたいと願う者など誰もいないだろうし、それは超富裕者でも変わらない。この問題にどう対処すればいいのか、それを考える人たちが増え、かつてない大胆なアイデアを提案している。

二〇一七年、私はYコンビネータの社長サム・アルトマンに話を聞いた。会社はシリコンバレーにあり、スタートアップ企業への投資としては、もっとも有力なベンチャーキャピタルだ。例年、自社株の一部と交換に、何千という企業が投資と指導を求めて同社に問い合わせる。サムはプリンストン大学のドロップアウト組で、普段はパーカー姿だ。インタビューした時点で彼はまだ三一歳だったが、すでに億万長者である。「未来を発明する男」とよく形容される。Yコンビネータが会社として投資した相手企業の総資産は八〇〇〇億ドル、エアビーアンドビーとスタスキー・ロボティクスもその一社だ。

人工知能が解き放つ潜在的な大混乱を踏まえ、Yコンビネータでは最近、ベーシックインカムの素案作りに資金を提供するようになった。ベーシックインカムは、一般にUBI（ユニバーサル・ベーシックインカム）と呼ばれ、予想されうる失業と技術がたきつけた格差が押し寄せてきたとき、それに対処する方法として現在、広範な支持を集めつつある。基本的な考えは、政府は全国民に対し、生活していくうえで必要とされる額の現金を無条件で支給するというものだ。カリフォルニア州オークランド、フィンランドをはじめ、先行実験がすでに実施され、構想の検証が行われて、この問題を真摯に考える専門家や作家の多くが、さらに検証してみるだけのことはあると考えている（どう機能するのか、現時点で結論をくだすのは早急である）。

つまり、ベーシックインカムとは、いまもっとも先端をいく構想なのだ。政治的に右寄りの者のなかには、経済の先行きが見えない現在、導入によって資本主義は低迷状態が続くと考える者がいる。一方、左派のなかには、さらに公平な富の再分配を促す手段として考える者がおり、イギリスの場合、そのなかには労働党党首ジェレミー・コービンを取り巻く一部の急進派も含まれる。そして夢想家は、ベーシックインカムで人々は単調な労働から解放され、さらに意義あることに人生を費やせると考えている。*

人工知能について、世間は準備を整えていないとサムは考えている。「必要とされるはずなのは、これまでにない分配方法であり、新たなセーフティーネットなのです。たぶん生活していくうえで、必要な現金をただ渡すだけなら、どうなると思いますか。たぶん『住む家と食べるためばかりか、遊びにいく金もあるぞ』となってしまうでしょうね」と、Yコンビネータのオフィスでサムは語った。

ベーシックインカムとは興味をそそる発想だ。本当はやりたくない仕事など、数えあげれば切りがないほどある。労働を通じて得てきたもの、生活手段、生きていく基盤、生きる目的などが別の形で達成できるなら、さらに詳しく調べてみるだけのことはある。ベーシックインカムの提唱者は、これは〝最低限《ベーシック》〟の所得だと言い張る。つまり、かならずしも労働に代わる手段を意味しない。支給を受けながら働く人もいるし、その一方で、働くことをやめ、ほかの何かに自分の時間を捧げることを選ぶ人もいるだろう。

しかし、ベーシックインカムでは、限られたエリート集団がますます富んでいくことを阻めないと私は考えている。それに、ベーシックインカムの原資は誰が負担するのか、私にはその点もすっきりしない。とりわけ、ハイテクベンチャーが節税につぐ節税に腐心しているような時代ならなおさらだ（原資は本当に気がかりな問題だ。現在、社会福祉に投じられているアメリカの予算総額を国民一人当たりで割ると、年間一人当たり二三〇〇ドル。どう考えても十分ではない。提唱者は、将来、生活必需品の価格の下落を前提とする。たとえば、サム・アルトマンは、二〇一六年に行われたこの問題に関する議論で、「今後、生産性が格段に向上し、必需品の生産コストが抑制されれば、十分にまかなえる」と語っていた。この程度の根拠で、政府の政策担当者の大半を本当に説得できるとはとうてい思えない)。

「ごりごりのリバタリアンで、政府との折り合いが悪いハイテク業界のいまどきの権力者が、それがどうしても必要であるにせよ、巨大な富を分配するような構想に応じるとは、とてもではないが信じられない」と技術評論家のニコラス・カーも書いている。[13] 彼らのこれまでの行いを踏まえれば、見通しが暗いのはまちがいない。

こんな素朴な質問をしたら、どう思うかとサムに尋ねた。ひと握りの人間は「超」がつくほどの大富豪で、それ以外の全員は現金をもらって黙っている。そんな社会で生きていくことが、本当に人間にとって幸せなのだろうか。働くことの意義はどうな

＊ 夢想家のなかには、たぶんカール・マルクスが思い描いたコミュニストの理想郷を考えている者がいる。その理想郷において人々は、「朝には狩りをし、午後には釣りをし、夕方には牧畜を営み、そして食後には批判をする」。(『ドイツ・イデオロギー』)

るのか。広がる一方の格差はどうなるのだろう。

「将来について、かなり悲観的な考えをお持ちですね。その考えがまちがっていたらと願うばかりです。機械を扱う仕事に従事することが、当人にとって、夢や志の唯一の実現ではないでしょう」

もちろん、私もそれは違うと思う。だが、聞きたいのはそこではない。「気がかりでしょうがないのは、社会が劇的に変わってしまうはずだということであり、何よりその点に不安を覚えます」とこたえた。

「社会とは劇的に変わらざるをえないものだと思います。こうした変化はこれまでに何度も経験してきました。いいですか、人が何を考えているのか、僕だってわかっていますよ。『何があっても過去は決して手放さないぞ』（と、ここでサムは拳を握り、上を見上げて、拳をかざした）。『進歩にはがまんがならない。変化なんて金輪際お断りだ』。そう言いたいわけですね」

「いや、そうじゃない。進歩を毛嫌いしているわけじゃありません。あなたが生み出している進歩が、ほかの人々が求めるものでないなら、どうするのかということです」

「アメリカでは四〇〇〇万の人間が貧困生活を送っています。テクノロジーで、人間を苦しみから解放できるなら、僕たちは手をこまねいてはいられない。テクノロジーによって富を創出し、その富をもっと効率的に分配できる方法を編み出せるなら、それをしなくてはならない」

テクノロジーで問題解決が図れると考えているようだが、その問題の発生に際し、当のテクノロジーがなんらかの役割を果たしている点を疑おうとする気配は微塵もうかがえない。否定的な可能性について問いただすのがジャーナリストの義務だと説明した。それが私たちの仕事だ。

「今後も『進歩をストップさせなくては』という非難を続けるなら、誰もジャーナリストの言うことなど信用しなくなります。貴重な助言もあると思いますが、この手の反進歩という視点のせいで、誤った方向に進む恐れがあります」

これをもってインタビューは終了。サムはシリコンバレーでも、もっとも斬新で独創的な発想ができる人間の一人で、鋭い頭脳は疑いようがない。しかし、最近の流れを踏まえると、さらに現実的なシナリオは、これまで以上に不平等な経済へと向かう執拗な衝動ではないかと思えてくる。

手にした大金は自分にふさわしいものだと勝者はつねに思い込み、社会の紐帯を分断することで利益を得ていても、自分は社会の結びつきを一層深めることに役立っていると信じて疑わない。われわれが危惧すべきディストピアは、われわれの仕事を残さず奪うロボットなどではなく、実はバーベル型経済なのだ。そこでは、社会の進歩を唱えるハイテクベンチャーの大富豪が、恐れると同時に擁護し、あるいは嫌悪する大衆から十分に距離を置いたゲーテッドコミュニティーに暮らしている。もちろん、大衆もまた、彼らを恐れ、嫌悪しているので、その点ではおたがいさまだ。

第5章 独占される世界

◉ハイテク巨大企業が世界をわがものとする

テクノロジーは独占という予期せぬ結果をどうやって生み出すのか。テクノロジー企業はロビー活動を通じ、その経済力を政治力に変えつつあるが、彼らの独占は従来の独占とは決定的な点で異なる。情報を公開する場であるプラットフォームを所有することで、彼らは世論と市民活動に多大な影響力を及ぼす。だが、市民の〝自由な連携〟に対する影響は無視できない。自立した市民社会の礎こそ〝自由な連携〟であり、専制政治を押し返す防波堤なのだ。私たちが進む道はいま、経済や政治のみならず、文化と理念の独占へと至る、最後の局面に達しようとしている。

デジタル・テクノロジーが駆り立てる不平等、これをもっとも過激に言い表すならとてつもなく巨大な技術的独占だ。おそらく来たる数年のうちに、差し迫った問題として姿を現してくるのはまちがいないだろう。微妙に異なるとはいえ、これは最後の第6章にも関連している。力と規模を頼みに、強大な企業が政治のあり方をゆがめようとする趨勢である。

なぜ民主主義にとってこれが問題なのかを説明する前に、「フォーブス」の長者番付で、現在、上位五名のうち、なぜ三名がハイテク業界の巨人で、どうやって彼らは上位に喰い込んだのか、そして、世界の企業時価総額の上位五社が、なぜ西海岸のテクノロジー企業なのか、その点を押さえておく必要がある。

製薬業界、石油業界はもちろん、スーパーマーケットの世界でさえ、多くの市場で限られた少数の勝者に収斂していく傾向が存在する。ビジネススクールの学生が、独占企業の設立という計画を抱いて卒業するのは、ひとたびそれが実現されれば、競合企業がいないので、価格をあげることで利益の最大化を図ることができるのである。だが、今日の独占は、規模と実態の点においてこれまで例を見なかったものなのである。*

デジタル・テクノロジーが「独占」を生む

一九九〇年代、多くの者が、インターネットによって独占は消滅し、ネットは独占を生み出さないと予言した。デジタルに関しては、同時代の第一人者や未来学者が繰り返し説いていたことから、ネットは脱中央集権的で、新たに結びつきながら、必然のなりゆきとして、競争原理が機能する分散型の市場が成立するという考えが広く支持されていた。[1] 誰もその方法を正確に知っていたわけではないが、クリス・アンダーソンのような影響力を持つ人物がこの現象を〝ロングテール〟と提唱すると、みな熱心に耳を傾けた。

いまになってみれば、デジタル・テクノロジーの本質とは、独占を阻むのではなく、むしろ作り出す点にあることは明らかだ。独占が生まれる最大の理由は、ネットワーク効果である。あなたがフェイスブックに登録すれば、あなたの友人もフェイスブックに登録する可能性がさらに高まり、友人が登録すれば今度はその知り合いが登録するかもしれない。すべてが結びついたら、そのネットワーク効果はさらに拡大していく。しかも、今度は瞬く間に拡大していくのだ。

同様なことがオンライン市場でも起きている。若いころ私は近所のレコード店で好きな音楽を購入していたので、選べる音楽は地域と限られた情報に制約されていた。そうしたことから、ニッチなアルバムを何枚か買うようになった。地元の限られたマ

＊　以下の企業は、それぞれの業界において、独占もしくは寡占状態にある。グーグル（検索エンジン、ビデオ・ストリーミング配信、オンライン広告）、フェイスブック（ソーシャルネットワーク、メッセージング、オンライン広告）、ウーバー（ライドシェア）、エアビーアンドビー（ホームシェアリング）、アマゾン（オンラインリテール、とくに書籍とクラウド・コンピューティング）、ツイッター（マイクロブログ）、インスタグラム（フォトシェアリング）、スポティファイ（音楽ストリーミング配信）。

ーケットだったが、タクシーのサービスは最高だったし、書店もレコード店もとびきりの店だった。しかし、デジタル市場なら、たったひとつのサイトで済んでしまう。便利なウーバーが使えるというのに、本当にすばらしい地元のタクシー会社であっても、あえて使う気になれるだろうか。

　こうしたネットワーク効果の威力がなかなか理解されないのは、人間には一次関数的にものを考える傾向があり、それに反してネットワークは、指数関数的に拡大していくからである。何十億ドル規模の超巨大企業がほぼ一夜にして新たに誕生するたび、あっけに取られるのはそのせいだ。ネットワーク効果がそれほど強大なのは、たえず自己強化が繰り返されているからである。ウーバーの利用者が増えていくにつれ、多くのドライバーがウーバーのもとに集まり、その結果、さらに良質なサービスが提供される。つまり、ますます利用者が増えて、ウーバーは拡大を続ける。

　グーグルは、連日、ナノレベルでこうした改善を何百万回と繰り返すことで、競合二社をしのぐサービスの提供が可能となり、経済学者が言う自然独占になりつつある。[*2]デジタルを扱う会社が、自社の強みを猛烈なスピードで高めることができるのは、拡張のためのコストがほとんどの場合、非常に安上がりに済むからだ。エアビーアンドビーが新しい宿泊施設を追加しても費用らしい費用はかからないが、一般のホテルの場合、新しい施設を建設しなければならないので、時間や費用がかかり、しかもリスクが伴う。ユーチューブが動画をサーバーにあげる費用は、一本でも一〇〇万本でも大差はない。超大ヒット映画の多くはこんな真似はできない。私だってインターネットで映画のことは知るので、結局、ＤＶＤという形で複製品をレンタルすることになる。

以上のことから、最強の供給者は、その産業全体をさらに楽々と抑え込み、勝者独り占めの分野を作り出せる。この場合、厳密には「勝者が大部分を手にする」と言ったほうが正確だろう。私は〝単独一社〟の意味で〝独占〟を使い、寡占とは、少数の製造会社や販売会社による市場の支配を指すので、正しくは巨大テクノロジー企業数社による支配の状態を言う。

検索エンジンの分野では、グーグルでさえ独占企業ではなく、ビング、ダックダックゴー（DuckDuckGo）などの他社が市場に存在している。小規模な販売会社がニッチな市場で、待ち望んだロングテールで成功するというより、限られた巨大な勝者と小規模なその他が同居することになる。たとえば、アイチューンズの場合、売上の六

＊　グーグルの解体をのんきに唱える人は、その場合、検索エンジンの使い勝手がどれほど悪くなるのかがよくわかっていない。

グテールだが、それにしてもきわめて厚みに乏しいロングテールである。[*3] 最下位の楽曲の楽曲のダウンロードはいずれも一〇〇回にも満たない。厳密にはこれもロン分の一を占めるのは、全楽曲の〇・〇〇〇〇一パーセントの曲で、九四パーセントの

アマゾンの優位は品揃えではなく「プラットフォーム」の支配

もちろん、シリコンバレーの人間なら誰でもこのことは知っている。自由市場の恩恵を口にする一方で、調達したベンチャーキャピタルは独占事業に賭けている。ペイパルの創業者で、シリコンバレーのハイテクベンチャー向けの投資家としては、おそらくいちばんの影響力を持つピーター・ティールは、「独占を達成できる可能性を秘めている会社に限って融資している」と語る。短期損出に陥ったテクノロジー企業のなかには、「利益よりも成長」という哲学に従い、ベンチャーキャピタルの融資を受け、操業を続けたところもある。ウーバーも数年にわたって一〇億ドルの損失を出したことがある。市場から競合他社がいなくなったとき、同社の思いは、値上げに対する期待で膨れ上がっていることだろう。

経済理論上は、競合他社の拮抗と新規参入を通じ、独占状態は再調整されるといわれている。成功した巨大テクノロジー企業も、今度は威勢のいい新興企業の参入で揺さぶりをかけられることになるのだ。たしかに、巨大テクノロジー企業の反独占に成

功した話や市場が抵抗している例も時にはあるが（ウーバーに対抗し、実際に業績が好転しつつある地場のタクシーの例もある）、おそらく現時点で、即断することはできないだろう。

しかし、ひとたび独占が成立すると、地位を維持するために巨大テクノロジー企業はありとあらゆる手を打ってくる。最大規模の企業なら、高額な給与、健康管理、通勤の専用シャトルバス、住宅斡旋などを提供することで、優秀な人材は根こそぎ採用することができる。最近私は、アウトリーチ（訳註：公共のために教育や援助を行う活動）の一環として、政府通信本部（ＧＣＨＱ）を訪問した。本部でもっとも優秀だっ

＊　熱っぽく語られる最新のテクノロジーの話は、すでにお聞き及びかもしれない。〝ブロックチェーン〟と総称される新技術であり、権力の独占と集中から私たちが自由になれることを約束する。いちばん有名なアプリが暗号通貨のビットコインだ。実際、非常に興味をそそるものであり、次の第6章で詳しく検証している。だが、この新技術の提唱者の話に帯びるのは、一九九〇年代の技術楽観主義者と非常によく似た響きで、前回同様、揺るぎない確信をもってピアツーピア（Ｐ２Ｐ）、分散型取引、ロングテールの世界の到来を約束している。しかし、当時何が起きたのか。それとよく似たパターンがすでに姿を現してきているようだ。ごく少数の人間が不釣り合いなほど大量のビットコインを所有している。ビットコインという鉱山の採掘《マイニング》では、最高のテクノロジーと最強のコンピュータが掘削装置として使われるので、結局、すでに十分な富を築いた者やベンチャーキャピタルの手に、大半の掘削機能が集中することになる。

たプログラマーたちがテクノロジー企業に引き抜かれ、それを懸念した情報機関による依頼だった。

引き抜いた企業は、さらに高い給与を提示することができたのだ（地方議会にとって、こうした予算がどれだけ負担になるはずか、考えてみてほしい）。政府通信本部の館内には、セキュリティー対策をクリアしたコスタ・コーヒーが出店しているが、メニューは月並みで、長い行列ができてすこぶる評判が悪い。メンローパークにあるフェイスブックのオフィスには、すばらしいカフェが用意されている。

最大手のハイテク企業は、つねに前に向かって動き続けている。この業界では他の産業に比べ、研究に多くの費用が投じられている。研究開発にもっとも予算をかけているアメリカのハイテク上位企業が〝ビッグ5〟、アマゾン、アルファベット（グーグルの持ち株会社）、インテル、マイクロソフト、アップルの五社だ。自社の存在を脅かす企業が出てきた場合、潤沢な資金を使い、地位が脅かされる前に相手を買収してしまう。*ロンドンで私は、大勢の新興企業の創業者と面談したが、彼らの多くがグーグルやフェイスブックに買収されることを望んでいた。その結果、リスクを取りながら手強いイノベーションと競合を推し進めるのは上位企業だけとなり、規模に劣る会社や事業構想は締め出されていく。

最大規模の企業が、規模で劣るライバルに圧力をかけられるのも、独占力があるからだ。とりわけ、相手が自社のプラットフォームに依存している場合である。アマゾンの優位とは、正確に言えば本そのものの品揃えに抜きん出ているからではなく、本が売られている場所をアマゾンが支配しているからなのである。つまり、アマゾンが値段を決め、条件を決めることができ、他の小売業者はその条件を呑むしか手立てはない。

彼らに先立つ巨大企業がそうだったように、テクノロジー企業もいまやその経済力を、政治的影響力に変えようとしている。影響力を増し、利益誘導を図るため、業界はロンドン、ブリュッセル、ワシントンで例年何百万ドルの政治献金を行い、閣僚と会議を開いたり、政策担当者に知恵をつけたり、すばらしい食事やホテルに招待したりしている。

大手のテクノロジー企業はこれまで何年にもわたり、わずらわしい政治がらみの問題は避けてきたが、会社が巨大化するとともに、影響力を行使する機会を得ようとす

＊　フェイスブックはワッツアップ、インスタグラム、オキュラスVRなどを買収してきたほか、スナップチャットの開発企業スナップインクの買収を試みた。一方、アマゾンはeコマースサイトのザッポス、ホールフーズ・マーケット、オーディブルを買収している。

るようになってきた。現在こうした企業は、アメリカやEU諸国で露骨なロビー活動を通じて政治献金を行い、その金額は他産業の大半の企業に比べてもひけをとらない。[4] 二〇一七年、ワシントンDCのロビー活動にもっとも資金を注ぎ込んだのはグーグルで、その額はおよそ一八〇〇万ドル、その他のテクノロジー企業もますます活発にロビー活動を行っている。[5]

ロビー活動は政治献金だけにとどまるわけではない。政府と企業のあいだを何度も出入りする有能で熱心なロビイストも存在する。グーグル透明化プロジェクトによると、オバマ政権時代、五三名の人間がグーグルのロビー活動に取り組んでいた。話はイギリスでも同じで、最近では二八名の人間が政府とグーグルの出入りを繰り返しており、そのなかにはトニー・ブレアや副首相だったニック・クレッグの元相談役もいる。五名の人間が政府機関からグーグルに移籍、その後、ふたたび政府機関に戻っている。

これら企業やロビイストが不正行為を行っていることを示す証拠は皆無で、私が面談した者たちはいずれもプロ意識に徹し、有能でもあった。彼らのところに依頼が舞い込むのも当然だろう。しかし、こうした活動の結果、政策担当者とテクノロジー企業は、同じ見解と推測を共有する、似たような者たちの集まりになりがちだ。同じ会合に参加し、同じパーティーに足を運んでいる。いつの日か〝相手側〟で働くことになるのだろうと、彼らも腹の底で考えていると、私はにらんでいる。

そこにグーグルしかなければグーグルが有利だ

いま進行中の経済のデジタル化は、私たちの経済がさらに多くの点で、逃れようもなく独占へと駆り立てられていくことを意味する。一例をあげよう。〝スマートマニュファクチャリング〟とは、製造ラインの全工程においてデータを収集し、他の工程ともれなく情報をやり取りすることで、リアルタイムで包括的なモニタリングと分析ができるプロセスのことをいう。このプロセスは工場内だけにとどまらない。スマート冷蔵庫、スマート玩具、スマート食品包装機など、出荷された製品は現実世界で埋め込まれたセンサーを使い、四六時中データをかき集める。

愕然とするのは、まだ限られているとはいえ、すでに現実で起きている点だ。あらゆるものが、オンラインによって結ばれると、たがいに情報を伝達するために別のデバイスが必要になる。あなたの電話が冷蔵庫に連絡を伝え、冷蔵庫はスーパーマーケットに連絡を入れると、今度は出入りの供給業者や製造業者に連絡が送られていく。連鎖のなかをデータのおしゃべりが縦横無尽に行き交う。これを実施するなら、限られた一、二の企業がインフラを提供したほうが、効率性の点ではるかに優れている。

そこにグーグルしかなければ、グーグルが有利だという理屈と同じだ。だから、シーメンスは四〇億を投じ、スマートマニュファクチャリングを可能にする産業用プラットフォーム「マインドスフィア」を構築し、ゼネラル・エレクトリック（GE）は独自のプラットフォーム「プレディックス」の開発に取り組んでいるのだ。「勝者がすべてを手にする」。GEでデジタルを担当する最高責任者は最近そんなことを語っていた。

同じ法則が、最終章で述べる人工知能の技術についても、多くの点で当てはまる。〝汎用〟テクノロジーとして知られる人工知能だが、汎用とは多種多様な状況への適用が可能という意味だ。具体的な適用はまったく異なるとはいえ、ステファンのスタスキー社が開発している無人走行トラックは、人工知能で強化された犯罪予測テクノロジーやコンバージョン（CV）分析などと同様のデータ抽出とデータ分析の技術を使っている。

たとえば、グーグル傘下のディープマインドは、囲碁に勝利しただけではなく、現在は医学分野で胸躍る新研究を開拓中だ。また、空調システムの最適化を図ることで、すでにグーグルの巨大なデータセンターの光熱費を劇的に改善している。[6] もちろん、これらに対抗しようという動きはある。一部の専門家が結集し、〝オープンソース〟でさらに透明性に優れた人工知能を希望を込めて念入りに開発した。だが、進化の方向はすでにはっきりとしている。言うまでもない。利益の追求である。

ここ数年、最大手は有望な新興企業を次から次に買収している。ディープマインドは、グーグルが最近獲得したほんの十数社のうちの一社にすぎない。二〇一六年、アップルは二億ドルの大金を注ぎ込んで機械学習の新興企業トゥーリを買収、インテルもこの二〜三年で、一〇億ドル以上の資金を人工知能関連の企業に出資している。[7]

グーグルのようなデータ、人材、経験、計算処理能力を備えたAI市場のリーディングカンパニーは、制限なく研究が行えるうえに情報も入手できるので、人工知能が必要とされるほぼすべての分野に進出が可能だ。物流、無人走行車、医学研究、テレビ放送、工場の生産ライン、都市計画、農業、エネルギー使用、保管業務、事務処理、教育など、その他考えられうる、ありとあらゆる分野だ。

アマゾンはいまや小売業者にしてマーケティングプラットフォームであり、デリバリーネットワーク、ロジスティックスネットワーク、決済システムを持ち、与信業務やオークションを行っている。出版やテレビ番組、ファッションデザインを手がけ、クラウド・コンピューティングのプロバイダーでもある。[8]

果たして次はどうなるのか。私の予測はこうだ。これから一〇年前後のうちに、少数のテクノロジー企業が人工知能とスマートマニュファクチャリングを制覇し、業界を横断して、かつて存在したこともない巨大な独占が生み出される。そして、独占が強化されていくある時点で、これらハイテクの巨人たちは、国民の健康や福祉になくてはならない存在となり、巨大バンクと同じように、その巨大さゆえに破綻することももはやなくなる。

最良の技術と最高のスキルを備えたエンジニアで守備を固め、グーグルもしくはフェイスブックは、複雑なサイバー犯罪（おそらく敵対する国家による仕業）を解決し、コンピュータのバグを修復することができるだろう。そればかりか、経済ショックを予測したうえで先手を打って回避し、ナショナル・グリッド（訳註：イギリスの送電およびガス供給事業者）を効率よく運営し、巨大銀行のサイバーディフェンスを保護できる唯一の存在になるはずだ。たぶん、公共部門のサイバーセキュリティーは人材も不足し、技術にも劣ると予測される。[9]

この問題について、立法府の議員と話し合うことがときたまあるが、技術的独占のひとつやふたつ、ひとひねりで粉砕できると彼らが考えているのを感じる。だが、そんなことになれば、深刻なダメージを経済にもたらすことにやがて彼らも気がつく。結局、話はそこでお手上げとなってしまう。

「無料」の戦略をなぜ独占企業が採用するのか

こうした独占には見覚えがあると思ったあなたはまちがっていない。テクノロジー企業はいくつかの点で、いかがわしいロールモデルの手口をただ真似ているだけにすぎない。そのロールモデルとは、鉄道王であり、一九八〇年代の市場経済推進のシンクタンク、広告会社、石油メジャーである。このような経済力の集中が起こるたびに、決まって政治が腐敗したのは、富と権力を持つ者は自らの力を維持し、一層強大なものにしようとつねに願っているからである。合衆国最高裁判所判事だったルイス・ブランダイスは、すでに何十年も昔に、「私たちができるのは、この国を民主主義の国にするのか、それともひと握りの人間に莫大な富を集中させるかのいずれかであり、その両方を手にすることはできない」と語った。市場経済民主主義においては、経済力がある程度集中するのは避けられないことであり、一定のレベルに達してしまうと、政治プロセスは蝕まれ、ゆがんだものになっていく。たいていの場合、特定の事業利益は、他の集団を犠牲にすることで得られるからだ。

技術の独占がこの調子でやむことなく拡大していき、テクノロジー企業の経済力が政治的な影響へと姿を変え続けていくなら（現代資本主義の全歴史は、そうなるはずだとはっきり示唆する）、その地位にない者たちは、政治にそっぽをむくだろう。その結果、政治は富裕な企業と政治家が、内輪で自らの地位と思惑を語り合う、ただの取引におちぶれるという負のスパイラルが生まれる。

トランプの大統領選やEU離脱の国民投票で目の当たりにしたように、「現実を何も知らないエリート」や「筋金入りのエスタブリッシュメント」が政治をしきるという考えは、選挙民から計り知れないほど強烈で、理屈抜きの反発を引き出した。しかし、前代未聞の選挙について、大半の人が忘れていることがある。人々が考えた通り、利益を共有する経済エリートと政治エリートが存在していたことにまちがいはなかったのだ。たしかに彼らは利益を共有していたからである。

独占を阻むため大半の民主主義国は年月をかけ、独占禁止法を整備してきた。こうした法律は、独占で価格が高騰したり、消費者の福利が損なわれたりした場合に限り、国民に不利益をもたらすという考えに基づいて制定されている。とくにアメリカの独占禁止法はこの考えに基づいている。[10]しかし、今日のテクノロジー企業は従来の独占企業とは別の猛獣だ。彼らは価格の上昇ではなく、むしろ価格を引き下げようと努めることが多く、消費者にはおおむね好都合だ。フェイスブックやグーグルのように、表向きには無料というところもある。

しかも、こうした企業の定義はとらえどころがない。スタンダードオイルと言えば石油会社。では、フェイスブックは。メディア企業なのか。オンライン広告の会社なのか。ソーシャルメディアのプラットフォーム、それとも人工知能を開発する会社なのだろうか。

一見すると無料とも思える戦略を、現代の独占企業がなぜ採用するのか、この点についてはもう一度考えてみなくてはならない。テクノロジーの独占が民主主義に突きつける脅威は、彼らが請求する以上のものになる。権力とデータの集中、公的空間の支配、そして、この力を巧みに操って経済活動の規模を押し広げていく能力、とくにインフラと未来のテクノロジーに関する点だ。あらゆるものが、あらゆる場所に組み込まれることで彼らのテクノロジーが世界を覆い尽くしていく。アメリカでは過去にもロックフェラーやカーネギーの独占があった。

だが、以上を念頭に置いて見てみると、テクノロジーの独占は、いくつもの重要な点で、過去の独占よりも政治的には不公正なものに見え始めてくる。

一番目として、政党が身内のような具合で、テクノロジー企業を頼りにしている点だ。ごく一部の政治家を除けば、どんな政治家も企業の支持に重きを置いている。しかし、有権者に訴えるには、政治家にはテクノロジー企業が必要で、その様子はほかの企業など二の次といった感じだ。市民の政治論争の大半は、テクノロジー企業が所有し、運営するプラットフォームで繰り広げられている。

政治家とは絶えず追い立てられている人間だということを忘れてはならない。疲れはたまり、多忙なため十分な時間もなく、専門技術にも疎い。そんなとき、ハイテク時代のシャーマンが、何百万というデータポイントと個々にあつらえたメッセージ、そして膨大なオーディエンスを携えて颯爽と登場してきた。第3章で説明したように、フェイスブックはトランプの選挙キャンペーンに一枚かんでいた。同じようにグーグルの元会長エリック・シュミットは、二〇一二年のアメリカ大統領選でオバマ再選のために働いていた。[*11]

疑うことを知らない、幼児化した消費者市民

二番目に、巨大なデジタルプラットフォームというインフラを所有することで、企業はさりげないが有益な形で公的な論議の調整や喚起という、過去にはなかった機会を与えられるようになった点があげられる。二〇一七年九月、ロンドン交通局は、ウーバーの営業免許を更新しないと決定した。

市交通局の話では、ウーバーの行為には「おおやけの安全と安心に影響するかずかずの問題について、企業としての責任の欠如」が明らかにうかがえるという。すると不思議なことが起きた。ウーバーはチェンジ・ドット・オーグ（change.org）でオンライン請願書の署名を集め始め、膨大な利用者層を反対運動に巻き込もうとした。

四万人のドライバーの生活を守るため、そして何百万というロンドン市民の消費者としての選択を守るために、市内でのウーバーの営業を禁止する決定を破棄するように求める請願書にご署名ください。

バスは苦手という何千名というロンドン市民が署名に殺到し、イギリス国内では二〇一七年最速で署名を集めた請願書になった。[12] かつて、〝人工芝運動《アストロターフィング》〟と呼ばれる偽の草の根運動として、消費者の自発的な行動を装った、長大なPR映画が制作されたことがあった。

私としては国会議員に法人税はもっとさげたほうがいいのではないかと言いたいが、燃料税について、BP（英国石油）から陳情や運動を支持してほしいというメールや電話は一度ももらったことがない。モリソンズ（訳註：イギリスの四大スーパーマーケットのひとつ）からセルフレジ機の問い合わせを受けたこともなければ、袋詰めのコーナーから撤去してほしいものは何かと尋ねられたこともない。こうした企業は、私にアクセスする手段をまったく持ちあわせていないのだ。

だが、ウーバーなら、どこにいようがかならず私のポケットに入っている。常連客にはメールをはじめ——ロンドン交通局の決定は「市内を移動する際、便利な手段を選択する機会をあなたから奪うでしょう」という告知を送ってくれる。さらに言えば、

＊　実は、まったく前例のない試みだったというわけではない。一九世紀、ウエスタンユニオン（訳註：アメリカの金融・通信事業会社）は当選した議員に自社の電報の使用を無料で提供しており、議員らもワシントンを非難する〝もっとも安上がりな手段〟だと信じていた。

ウーバーの利用規約は最近アップデートされ、「ウーバーは、ウーバーのサービスに関連する選挙、投票、住民投票ならびに政治的および政策的手続きに関する情報をユーザーに提供するために、当該情報を使用する場合があります」という一文が加えられている[13]（市交通局の決定に対するウーバーの反論は現時点でも進行中）。

ウーバー程度の規模の民間企業でも、開かれた議論の仕組みと内容に関してこれだけの力が発揮できるのだから、どんな情報を私たちが受け取り、どうコミュニケーションするかは、まったくもって尋常なことではないと私には思える。この力がいかに貴重で、物議を醸すものかテクノロジー企業も承知しており、魔法の杖は控え目に振っている。

二〇一二年、「オンライン海賊行為防止法案」（SOPA）がアメリカ下院に提出された。この法案を映画産業と音楽産業が前面的に支援したのは、著作権侵害を繰り返す不正サイトの取り締まりを目的にしていたからだ。不正サイトは海賊版コンテンツを違法に掲示していた。

しかし、グーグルはこの法案の制定に正面から異を唱えると、サイトのフロントページを使い、法案の存在を知らしめた。四六時中サイトを訪問するユーザーに向け、グーグルのロゴのうえに大きな黒い箱を置き、「下院に対して声をあげよう――ウェブの検閲はやめてください」というリンクを貼った[14]。ここをクリックして署名、法案を廃案にせよという請願が下院に送られる。もちろん、何百万という人間がクリックしたので、下院のサーバーはダウンした。法案は結局廃案となった。

ウェブの検閲阻止は晴れがましい目的だが、検閲阻止はグーグルの商売上の利益にもかかわる問題ではなかったのかと、ふと思いやることがある。ホームシェアリングのウェブサイト、エアビーアンドビーはこれをさらに一歩進め、数百万ドルを投じ、「ホームシェアリングクラブ」という草の根運動を展開するコミュニティーを組織した。「コミュニティー」という言葉はほのぼのとして、つねに人の警戒心を解いてしまうが、「ホームシェアリングクラブ」は、地域の規制と戦うことも辞さない、「人と人の結びつきによる、強固な政治的主張団体」[15]だ。「オンライン海賊行為防止法案」がグーグルによって廃案に追い込まれたように、この〝コミュニティー〟も二〇一五年、短期の宿泊者に影響を与えかねない法案の不成立にひと役買っている。

以上は、私が単によく知るケースにすぎない。自らの利益にかなうような形に世の論議を駆り立てたり、影響を与えたりするように仕組まれた、その他の小さなせめぎ合いは知りようもない。もちろん、それもまた問題の一部ではある。

自立的な公的空間がはらむゆがみは、見た目以上に重要な役目を果たしている。物事が大局的に見えるのだ。市民社会そのものが、地域に根差した活動で経験を積んだ用心深い市民ではなく、ネット上で抽象論を論じる市民ばかりになっていないかがよくわかる。悪夢のシナリオはこうして展開する。幼児化した消費者市民、彼らは疑うことを知らず、操られたように安くて手ごろな商品やサービスに我を忘れ、どうしてもそれが欲しいと切望する。便利さを手放せなくなった何百万もの人間、警告がアップデートされ、結集せよと命じれば、即座に彼らを動員できる。

アリストテレス以来、民主主義の理論家は、商売でもお役所でもない、健全で主体的な市民による組織——慈善活動、自然保護運動、スポーツチームなども含め——の大切さに気づいていた。市民は「自由で自立した俳優」と教えられてきたから、その流儀通りに市民は自由に集まって行動を起こしているのであって、彼らは政府や企業の思惑に頭をさげる存在ではない。

健全な考え方を持つ市民とはこのことなのだ。彼らは利用規約には文字通り目を通し、政治への警戒を怠らず、労働者の権利や課税、ゼロ時間契約に思いをめぐらし、購買の意思決定の結果を自覚している。こうした市民であっても進んで動員されるかもしれないが、そのような場合においても、彼らは自らの考えに基づいて判断をくだしている。

著書『アメリカのデモクラシー』(岩波文庫)で一九世紀のフランスの政治思想家アレクシ・ド・トクヴィルは、民間団体は「民主主義の学校」と書いている。おそらくトクヴィルほど、民主主義において市民が果たす役割を考え抜いた者はいない。独裁者と専制君主は、政治とは何も関係がない市民を含め、自立的な市民社会をつねに取り除こうとしてきた。彼らは、民主主義を奉じる者以上に民主主義の理論に通じていた。暴君という暴君が、自立した市民で組織された社会の集団はやがて抵抗や反政府の精神を抱くようになることに気づいていたのだ。

二〇一六年二月、マーク・ザッカーバーグは、よりよき世界を生み出す〝マニフェスト〟を宣言した。フェイスブックは世界をひとつにまとめ、〝グローバル・コミュニケーション〟を構築したいという、悪気のない意図に基づく宣言だったが、惜しむらくはこの言葉遣いは正確さに欠けていた。文字通りのコミュニティーとは、仮想空間で結ばれた無数のアバターという抽象的な集団ではなく、特定の地域に根差したものなのだ。もちろん、ソーシャルメディアを使い、物質的な現実世界に活動を可能にしている市民の例は枚挙にいとまがないし、それはそれで歓迎すべきことではある。

しかし、心理学者のシェリー・タークルが『つながっているのに孤独』(ダイヤモンド社)で指摘しているように、私たちもまた〝つながっていても孤独〟な思いを何度も経験している。とりわけ、意味ある絆を結ぶことなくチャットを交わし、共通の目標のために団結する術を学ぶことなくネットでおしゃべりに興じているときなどだ。地域に根差した活動を経験した者でまとまった具体的なネットワークなら、かりに政府などの勢力に押し切られようが、それに立ち向かっていけるだろう。一〇〇〇マイルの彼方の他人と結びついていても、それが薄っぺらなデジタルの接続にとどまるネット民の場合、何百万人という数がいても、組織立った官僚制の物理的な力に太刀打ちできるものではない。*

力を失っていくジャーナリズム

最後の問題は、半端ではない技術的独占は、ジャーナリズムの犠牲によって可能になったという点だ。ジャーナリズムは伝統的な〝第四の権力〟であり、独占の実態に光を当てられる数少ない機関のひとつである。ジャーナリズムの衰退の物語、とくに地方紙の衰退はすでに何度も語られてきたが、その根底にある構造は以下の通りだ。

印刷広告と売上収益がダウンした。これは購読者が減少したからである。そして、オンライン広告主の場合、関心は広告の量であって質ではないので、その結果、費用をかければそれだけ良質な広告という関係が成り立たなくなっている。しかも、現在ではオンライン上には無数のコンテンツが存在するため、記事当たりの広告費はわずかだ。

加えて、近頃はニュースサイトではなく、フェイスブックで大勢の人がニュースを読むようになったため、収益や顧客情報は、既存メディアではなく、プラットフォームに集中するようになった。国によっては、売上だけではなく、ソーシャルメディアによってサイトへのアクセス数もかなりの割合で高まるので、その結果、ソーシャルメディアとサイトのあいだに従属関係ができつつある。[16]

　この問題については、あまり過去にとらわれたくはない。新聞や雑誌など業界全体でどの程度衰退しているのか算出するのは容易ではない。だが、従来のメディアの収益（とりわけ地方紙）が急激に落ち込んだ一方で、少なくとも高級紙（誌）と呼ばれる一部の新聞や雑誌で、サブスクリプションモデル（定額制）を導入したところでは、復調の兆しがうかがえるところも存在する。**

　さらに〝旧来のメディア〟には、依然としてなんらかの影響力があるのだ。ルパー

---

*　手間や労力を惜しみ、インターネット上の政治活動に終始する——いわゆる「怠け者の社会運動《スラックティビズム》」に関する論議は、非常に議論が分かれるが興味深いテーマだ。市民社会において、集団がどのように結集するのか、この問題の第一人者ゼイナップ・トゥフェックチーは、デジタル技術は小集団を迅速かつ容易に結集できるが、現実世界に対する影響力が犠牲にされる場合が少なくないと指摘している。

**　とは言いつつも、アメリカの新聞の印刷広告は、フェイスブックによって約一〇億ドルの減収を強いられたと、ポインター研究所は試算する。「ガーディアン」の元編集長アラン・ラスブリッジャーは、二〇一六年、計画していた広告収入のうち、約二〇〇〇万ポンドはフェイスブックに奪われたと考えている。

ト・マードックはある種のキングメーカーとして、長年にわたりイギリスの政界で議員や首相ににらみをきかせてきた。政治家は「ザ・サン」「タイムズ」の支持をのどから手が出るほどほしがっていたからである。イギリスの政界に対するマードックの支配が緩んだのは、民主主義にとっては喜ばしいニュースだろう（もっとも、二〇一七年の総選挙の際、労働党党首のコービン人気に加えられた、系列紙による執拗な攻撃は以前と同じだったことは指摘しておく）。

だが、完璧ではないにしても、大半のジャーナリストは、「可能な限り真実を伝える記事」を書こうと努め、権力者の責任を問いただすことに取り組んでいる。ジャーナリズムの衰退に心底不安を覚えるのは、私たちの政治をめぐる謎めいた影響力――ロビー活動、人心操作、汚職――を暴いてきた記事という記事こそ、忍耐と高い予算をかけたジャーナリズムの成果にほかならないからだ。ペンタゴン・ペーパーズ、エドワード・スノーデンの告発、パラダイス文書など、最近では、「オブザーバー」の調査報道によって、EU離脱の国民投票でケンブリッジ・アナリティカが果たした役割が明るみに出された。

従来からのメディアがすでに死に絶えたというわけではない。また、ジャーナリズムにはその仕事に対し、社会の信任を築くという重要な義務を担っているが、その信任もここ数年で急激に下降した。しかし、テクノロジーがさらに複雑さを増し、いままで以上に行きわたり、政治的なものになっていくのであれば（まちがいなくそうなる）、私たちもまた、一体何が進行しているのか、これまで以上に細心の注意を払って調査を進めて明るみに出していかなくてはならないだろう（おそらく、その費用も決して安いものではない）。

私たちは最善を尽くしつつ、ひるむことなく次のような問いに取り組んでいかなくてはならない。このアルゴリズムはどう機能するのか。誰がこのアルゴリズムに興味を抱いているのか。新しい技術が生み出す不正は何か。政治的な影響が及ぶのは地域のどのレベルか。グーグルが買収する人工知能の開発会社はどこで、その人工知能にはどんな能力があるのか。グーグルはなぜその会社を買収するのか。そして、グーグルはこの人工知能を何に使うのか。

いずれも簡単に答えられる問いではない。問いのいくつかは、広告の謎めいた技術基盤のように、オンライン生活ではもっとも効率的であると同時にもっとも理解しがたい、きわめて専門的な話も少なくない。* しかも、テクノロジー企業の権力拡大を阻止するという、大向こうをうならせる調査とは言いがたいので、誰からもうらやましがられる仕事だというわけでもないのだ。

人びとを魅了する「カリフォルニアン・イデオロギー」

ここで話をやめにすることもできるが、次のステージ、おそらく最終ステージを迎えると経済力は、マルクス主義者がしばしば言及する〝文化ヘゲモニー〟に姿を変える。つまり、市民が抱く理念や前提をコントロールすることで、支配を実現することができるようになる。

文化ヘゲモニーは、イタリアのマルクス主義者が資本主義を批判するために作った概念である。ここで検討する意味があるのは、テクノユートピア主義者の世界観が、まちがいなく社会に影響を与え始めているからなのである。

技術という技術には、ある種の価値と世界の仕組みに関する思想が折り込まれている。グーテンベルクの印刷機は単なる印刷する機械以上のものになった。自由に交わされる情報という考えを世に広めた。同じように一九世紀の一ペニー新聞も、ゴシップと権力に対する痛烈な批判という、それまでになかった需要を生み出した。電報の登場で、時間と地理に対する人々の見方は変わる一方、ラジオは、同一の国民性と文化、言語を共有するという概念の誕生にひと役買っていた。まさに「メディアはメッセージである」だ。そして、デジタル・テクノロジーを使ったメディアは、技術の一分野であるにもかかわらず、いまや全経済を独占しつつある。

一九九五年、リチャード・バーブルックとアンディ・キャメロンという左派系研究者が書いた論文が、先見性に優れた新聞に掲載された。二人は新たに登場したテクノロジーの神童たちの哲学と理念について詳述し、サンフランシスコ流の自由奔放な文化と、起業家らしい自由市場への熱情が融合した価値体系を「カリフォルニアン・イデオロギー」と命名した。このイデオロギーがなぜ人を魅了するのか、二人はその理由として、富の分配と公平さをめぐる従来の政治的闘争から抜け出す方法が提示されている点にあると考えた。

反権威のヒッピー、若きビジネスエリートのヤッピー、相反する両者の思想を結合させても、テクノロジーの本質は人間を解放する点にあると心から信じることで、神童たちはその矛盾を取りつくろうことができた。革命が到来したあかつきには、誰も

＊テクノロジーの世界では広告は次のように決まる。この世界にはオンライン上のどの広告スペースをいくらで購入したいと考える〝需要側〟のプラットフォームと、その相手に広告スペースを売る〝供給側〟のプラットフォームが存在している（こうした処理の大半は複雑なビッグデータ分析に基づいて行われる）。両者が条件をすり合わせるのが、リアルタイムでオークションが繰り返されている交換サイトだ。そして、ユーザーがウェブページを更新するたびにオークションが行われ、最高値を提示した者がそのページに広告を出すことが決まる。このような仕組みもインターネットをめぐる摩訶不思議のひとつであるのはたしかだ。どうして需要と供給が完全に一致するのか、広告料金を支払う広告主や、必死になって調整に取り組んでいる担当者を含め、その仕組みを理解している者はごくごく少数に限られる。

が満たされて豊かになり、最高にすばらしい存在になれると約束していたからだ。そんなユートピアに至るには、ただ〝破壊〟を信じるだけでいいのだ。既存の産業や制度をたたき潰し、これまでにない何か、デジタルな何かと置き換えることで進歩はなし遂げられる。

スティーブ・ジョブズこそ、このカリフォルニアン・イデオロギーを体現していた人物である。大学を中退したジョブズはＬＳＤを常用するヒッピーとなり、その後、非情なビジネスマンとなった。

次の話は、デジタル革命の背後に隠された秘密だ。新興企業がシリコンバレーに群がるのは、よりよき世界を築くという約束のせいのためだけではない。ここにくればベンチャーキャピタルの助けが得られるからでもある。シリコンバレーでは、理念と金がことのほか複雑に絡み合っている。明確なビジョンを持つ新興企業の創業者だろうが、広く世の中を知り、社会問題に高い関心を抱く発明家でも、研究には資金が必要で、法外に高いベイエリアの家賃を払い、優秀なプログラマーを雇用しなければならない。

悪魔と取引して永遠の命を得たゲーテのファウストだが、シリコンバレーは世界に変化をもたらす理念と資金の交換に基づいて動いている。だが、事業には新たな責任が伴い、利益幅、四半期決算、成長目標などの問題が突然湧いてくる。ある意味でテクノロジーとは、大金持ちが支配のために用いる最新手段なのだ。念入りに吟味されたこれらの技術を使い、彼らは自らの政治的影響力や独占的な振る舞い、規制の回避を手に入れ、その富をさらに積み上げることに役立てている。テクノロジーを使えば、私たちがよく知る彼らの習性にもうわべだけとはいえ、進歩というまことしやかな名分を装うことができる。

巨大テクノロジー企業は何年もの時間をかけ、カリフォルニアン・イデオロギーに入念な磨きをかけてきた。彼らは大規模な広報チームを備えた資産数百億ドルの巨大企業だが、反エスタブリッシュメントだと言い張ってきた。データ抽出と監視資本主義をビジネスモデルにしているにもかかわらず、人々に解放をもたらす、胸躍るテクノロジーを推進していると称している。ありあまる富を持つ白人男性が支配していながら、口にするのは社会の正義と平等だ。

マーク・ザッカーバーグはひどく困惑しているはずだと思ったのは一度や二度のことではない。二〇一四年、フェイスブックの社員のうち、黒人はわずか二パーセント、女性の社員は三分の一にも満たなかった。また、ワッツアップ買収に際して、ユーザーアカウントのマッチングをめぐり、欧州委員会に不正確な情報を提供したとして罰金を科されている。にもかかわらず、この年の後半、ザッカーバーグは「私たちは利用者のことを第一に考えている」と発言した。[17]

こうした企業の対応が悪しきものになるほど、企業はいよいよ羽振りをきかせ、クールな体面と公平とコミュニティーについて語るため、さらに多くの金を投じる。これは偶然の一致などではないだろう。

富裕な企業は、同時代に支持される理念を力まかせに広めるのではなく、ふんだんな予算を使い、シンクタンクやＴＥＤトーク、助成金あるいは後援者や予算や顧問の活動を通じ、個人や同じような世界観を持つ理念に働きかけて拡大を図っている。[18]さらにシンクタンクや研究所の設立を通じ、さり気ないが確実な方法で、テクノロジーをめぐる世間一般のイメージのバランスを調整している。[19]

しかし、それだけにとどまるものではない。いまや私たちの誰もが使うアイフォーンやウェブ・ブラウザーがカリフォルニアン・イデオロギーを世界中に伝え、破壊こそ解放、完全なる個人主義は私たちに力を授け、デジタルの電子機器とは進歩であるという誘い文句で、私たち全員に影響を与えている。これらは社会を変革させる鉄則ではないにせよ、時には真実をはらむこともある。

だが、こんなことをまるまる信じてしまえば、テクノロジー企業は未来へと堂々と出向き、戻ってくるなり未来へはこの道筋通りに進めと地図を差し出す。何年かのち、どこの学校でもタブレット型パソコン（アップル）、バーチャルリアリティーのヘッドセット（オキュラスを所有するフェイスブック）、プログラミングの授業（グーグルが運営）で溢れかえるはずなのは想像にかたくない。

イギリス児童虐待防止協会（ＮＳＰＣＣ）が最近実施した調査では、ほぼ半数の児童がテクノロジー企業への就職を目指していることがわかった。さらに気が滅入る統計は、三〇パーセントの子供が、一〇〇万人に一人の成功率というユーチューバーになるのが希望で、実際に投稿をすでに始めている。国という国がシリコンバレーを国内に作りたがり、町という町がテクノロジーの〝ハブ〟になりたいという野心を抱いている。政治の世界ではどのマニフェストを見てもみな同じ。スマートシティ、効率的な政府《リーンガバメント》、フレックスタイムで働く労働者、そんな世界ばかりで途方に暮れる。

ただ、こんなことを本気で批判してしまえば、〝機械オンチ〟のテクノロジー嫌い《ラッダイト》のレッテルを貼られるだけである。

そうなったとき、私たちが抱える社会の問題の解決は、誰に頼めばいいのだろう。もはや国家ではなく、時代のスーパーヒーローとなったハイテクの専門家だ。宇宙旅行と気候変動の問題はイーロン・マスクに。健康問題と高齢問題はグーグルがなんとかしてくれると私たちは考えている。フェイスブックは言論の自由について判断をくだし、フェイクニュースと戦い、アマゾンのジェフ・ベゾスはワシントン・ポストを破産から救って、奨学金財団を設立した。

最近、ある国会議員が国民健康保険はウーバーのように運営されるかもしれないと言っていた。別の誰かは、一夜の宿を必要とする病人に、エアビーアンドビーよろしく部屋を貸し出せばいいというアイデアを売り込んでいた。天よ、われら皆を救い給えというわけだ。

独占の完全なる勝利は、経済や政治だけでなく、私たちの常識や理念、ありうべき未来さえ覆い尽くす。そうなったとき、巨大テクノロジー企業はもはやロビー活動や競合他社を買収する必要さえない。彼らはひっそりと私たちの生活や心のなかに入り込んでくるので、彼らなしの世界などもはや想像できなくなっている。

第6章　暗号が自由を守る?

◉国家を否定する自由主義者たち

台頭するクリプトアナーキーが勢いづいている。その信条は、暗号化によって国家権力を弱体化させることだ。ネット上のプライバシーをどう守るのか。その探究がクリプトアナーキーを駆り立てていく。だが、この運動は国家の土台をなす権威への挑発であり、国家を減退させ、崩壊の瀬戸際に追いやる脅威を宿している。

「クリプトアナーキー宣言」

二年前、講演のためにプラハに招待された。主催の「クリプトアナーキー協会」は、パボルという人物がプログラマーやリバタリアン、クリプトアナーキストを集めて組織してきた。本人は温厚な匿名のハッカーで、パボルのほかにもいくつかの名前を使いわけている。彼がメールしてきた講演の予定表によると、このときのテーマは「権力の拡散」。「権威ある国家が徐々に陳腐化しつつある。評価の高いモデルを備えたシェアリングエコノミーや電子契約、仮想通貨がさかんになったことで、中央政府の役割は無用になってしまった」とメールには記されていた。

クリプトアナーキー協会は、プラハの中心部に建つ、「パラレル・ポリス」という三階建てのビルにある。設立は二〇一四年、テクノロジーを使い、個人の自由がさらに保障された空間を作り出すことを望んだひと握りのアーティストや暗号作成の熱狂的なマニアによって設立された。一九六八年、プラハの市民は当時のソ連から自由をもぎ取ろうとした。この町でプラハの春が繰り広げられた。

世界のいわゆる民主主義国は、権威を振りかざし、ありとあらゆる場所で人みなすべてを支配する一方、われわれは自由だという幻想を与えようとしている。週末にわたって開催されたイベントでは、ビットコイン、暗号化メッセージアプリ、匿名化ブラウザを使って、いかにして民主主義の崩壊を早めるかについて議論が費やされた。

クリプトアナーキーは、過去五〇年の政治哲学において、正真正銘きわめてユニークで、しかも、実に革新的な政治哲学のひとつだ。それはディストピアを描いたSF映画に登場する政治であり、「クリプト」（暗号法の数学）と「アナーキー」（無政府状態）を合成させた言葉である。

ジェルニツカ通りに建つパラレル・ポリスの前に到着したのは、寒い土曜日の朝のことだった。すぐに場所はわかった。真っ黒なビルの正面が、周囲に建つ灰色のビルのなかで海岸に置かれた異質な石のように目立っている。ビル正面に、「クリプトアナーキー協会」と鮮やかな白い文字で書かれている。少し遅れて到着したので、会場にはすでに二〇人ぐらいが集まっていた。いずれも二〇代から三〇代の男性で、英米語が混じり合った英語で話を交わしている。ハッカーや暗号作成マニア、ビットコインを扱う者は、どうやらこうした英語を使っているようだ。

会場後方では3Dプリンターがくるくるとまわり続け、かたわらではビットコインのTシャツやエドワード・スノーデンのポスターが売られている。コードが届く電源ソケットはどれも埋まっていて、ジャバ（Java）、ルビー（Ruby）、シープラスプラス（C⁺⁺）といった、一見すると了解不能なコンピュータ言語の列を誰もが目で追っている。空いている電源を探して歩きまわっていると、壁に貼られた「クリプトアナーキー宣言」のプリントアウトが目にとまった。

「ひとつの怪物が現代社会を徘徊している。すなわちクリプトアナーキーという怪物だ。コンピュータテクノロジーは、いまや個人や集団が、その正体を知られることなく、たがいにコミュニケーションを交わし、交流する能力を授ける瀬戸際に迫りつつある（略）。こうした発展で、政府による規制の性質、経済活動を管理し、課税を強いる能力、情報を隠匿する能力は根底から様変わりし、さらに信用と評価の性質にさえ変化を迫るものとなるだろう」

このテクノロジー自由宣言は、一九八〇年代、カリフォルニア在住のティモシー・メイという若者によって書かれた。インテルに勤務していたメイは、メモリー・チップの設計で画期的な発明をいくつもなし遂げたが、本人の関心は摩訶不思議なインターネットによって政治をどう変えるかに向いていた。メイと活動をともにしたのが数学者のエリック・ヒューズとコンピュータサイエンティストのジョン・ギルモアだった（インターネットの歴史に詳しい者には、ニュースグループのあのオルトの創設者として知られる）。

三人ともカリフォルニア出身の過激なリバタリアンで、コンピュータ・テクノロジーを早くから取り入れていた。西海岸で暮らすリベラル派の大半が、来たるべきデジタル・テクノロジーがもたらす解放を歓迎ムードで口にしていたころ、コンピュータに精通する三人は違った。この技術が生み出すのは、いたるところで諜報と支配が目を光らせた暗黒の国家で、その悪夢から逃れるには、ネット上の自分の身元を守る強力な暗号機能にアクセスするしかないと、三人は心から信じていた。

暗号化が無政府主義の楽園をもたらす？

暗号化とは、相手を選んで自分の情報を秘匿したり、開示したりできる技術であり、科学のことだ。一九九〇年代、多くの人がインターネットを利用するようになると、政府は強力な暗号化技術にアクセスすることを阻止しようと試みた。サイバースペースが犯罪者やテロリストの温床になることを恐れたからである。暗号化のひとつ、一九七六年に開発された「公開鍵暗号」として知られる方式に、FBIはとりわけ神経をとがらせていた。この方式を使えば秘匿性はさらに高まり、使いやすさも段違いだったからである。[1]

三人の望みは、一人でも多くの人間がこの暗号技術にアクセスできることだった。メーリングリストを作成すると、志を同じくする数十名と会合を開いた。そして、暗号技術を立ち上げ、世界に向けて送り出した。

初期の会合に何度か参加していたあるジャーナリストは、この集団を〝サイファーパンク〟と呼んだ。それは暗号の世界で演じられる駆け引きであり、ウイリアム・ギブスンのようなSF作家らによって人気を博した〝サイバーパンク〟というジャンルの小説に由来する。決して勝てない政治闘争に手を染めるのではなく、法で統治されないデジタル空間を創出する技術を構築しようと決めた。

最初のメーリングリストが配信された一九八七年、数学者チャック・ハミルによるスピーチ「石弓から暗号へ：テクノロジーで政府の権力を阻む」以来、メーリングリストは登録ナンバーを増やしていく。「わずかな時間と金と手間だけで、政府に対し、盗聴やどんな手口の検閲も撤廃してしまえと思い知らせることができる。暗号化に関心があるリバタリアン全員に、検閲を一方的に破壊する方法を教えてやれる」とハミルは書いていた。

暗号化は市民の保護にとどまるものではないことが、彼らサイファーパンクにはわかっていた。暗号化によってネット上に広大な自由空間が新たに切り開かれ、政府の影響などほとんど及ばない無政府主義の楽園へと、社会を推し進めて行けると信じていた。

個人の自由を左右する決定の大半は、民主的な政府の選出しだいだと多くの人が信じている。「永遠に続く自由を政治はこれまで誰にも与えてこなかった。そして、これからも与えることは決してない」と、ティモシー・メイは一九九三年に書いている。「だが」とメイは考えた。テクノロジーならそれができるだろう。

どちらかといえば、なんの変哲もない発明が契機となって、社会組織の新たな可能性が開かれるという場合がある。一九世紀のアメリカ、西部では農村として人々が定住することはできなかった。作物を植えても、バッファローの群れが踏み荒らし続けていたからだ。これを解決したのが〝有刺鉄線〟の発明で、広大な土地を囲い込めるようになった（有刺鉄線は、トゲ状にとがらせた鉄線を真っ直ぐな鉄線に巻きつけたもので、さらにもう一本の鉄線をより合わせて、トゲを固定している）。動きまわるバッファローもこれで命運が尽きた。そして、バッファローの命運が尽きたことで、今度はアメリカの先住民の生活様式が破綻してしまう（先住民が有刺鉄線のことを〝悪魔の縄〟と呼んだのも当然だ）[2]。技術史の泰斗、メルヴィン・クランツバーグは、テクノロジーは「悪でもなければ善でもない。だからといって中立でもない」と語っている。

公開鍵暗号とは、クリプトアナーキストの有刺鉄線だ。この暗号を使えば、政府の手が届かないところでコミュニケーションを交わし、ネットを閲覧して取引が行えるので、国家が情報を管理すること、ひいては国民を管理することは一段と困難になる。仕組みそのものは単純で、魔法のような数学的法則のおかげだ。素数をめぐるある種の摩訶不思議な領域では、暗号を解読する場合、暗号化に比べて桁違いの計算能力が必要だからだ。卵に似ていると言えなくもない[3]。卵の中身を殻に戻すより、割るほうがずっと簡単である。ウィキリークスのジュリアン・アサンジは、ティモシー・メイのメーリングリストの熱心な寄稿者だった。アサンジはこう言っている。「世界は暗号化を信じているのだ」

監視や管理から解放された通貨「ビットコイン」

一九九〇年代、メイたちはこう予言していた。技術の進歩あるいは広範に普及した技術を使い、さまざまな形態の監視から身を守ることができるようになる。その技術は現在、ユーザーが当たり前のように使っている技術だ。そして、それ以外の提案のなかでもメイがとくに進めていたのが、万全に保護された暗号通貨、誰もが匿名でサイトを閲覧できるツール、そして、メイが「ブラックネット」と呼んだ規制とは無縁のマーケットプレイスである。そこでは追跡されることもなければ、匿名の内部告発制度も存在しておらず、なんでも自由に売買できる。

ミレニアムの変わり目を迎えるころには、アメリカの当局筋もソフトウェアをもとの箱に収めるなどできはしないとあきらめかけていた。しかし、9・11以降、テロへの脅威から、監視に関する新たな権限を政府に認める流れが湧き起こる。さらに、オンライン取引やソーシャルメディアが急速に拡大し、何百万という人が、ネット上のプライバシーと引き換えに、無料サービスの提供を受け始めた。これは、暗号化推進派が予想もしない展開だった。

そして、クリプトアナーキーはふたたび戻ってきた。クリックするたびに政府通信本部（GCHQ）やフェイスブック、ロシアのハッカー、あるいは正体不明の誰かに収集される情報、その事実に気づいた一般ユーザーの数が増すにつれ、クリプトアナーキーの復活に勢いがかかる。週末のプラハ、クリプトアナーキー協会に集まった約五〇〇名の人間は、夢にふたたび火を灯そうとするパンクムーブメントのほんの一部でしかない。

実際、クリプトアナーキーの回帰とはある意味で、ここまで私が論じてきた世の流れに対する、偽りのない反応だ。オンライン上の自由とプライバシーの保護という純粋な願いに駆られ、何百人という人たちが、独創的な方法でネット上の秘密を守り、検閲を阻止し、中央集権化した支配と戦うために働き続けている。ここ二〜三年、世界のいたるところで、暗号化の方法を指導する草の根運動「クリプトパーティー」の旋風が吹き渡っている。これに参加すれば、プライバシーの保護に関する最新技術をネットユーザーは学べる。

トーア（Tor）のような匿名ブラウザが、ますます支持を集めている。トーアならユーザーの位置を特定されることなくサイトを閲覧できる（〝ダークネット〟のアクセスにもトーアは使われている。ダークネットは、非標準の通信プロトコルを使った暗号化されたサイトだ）。また、シグナルやワッツアップ、フローズンチャット、ウィッカーなどのメッセージを暗号化するアプリも現在ではたくさん存在する。ウィキリークスの政府の機密や政治の機密情報を公開することで、大騒動を引き起こし続けている。

現時点でもっとも人気があるクリプトアナーキーの技術は、おそらくビットコインだろう。詳しくない方のために説明するなら、ビットコインとはデジタル通貨のことである。どのように機能するのか、ここでは詳しく説明しない。わかりやすい説明はほかにもたくさんあり、入手も容易なので、簡単な説明にとどめておく。

ビットコインはビットコインアドレスに保管される。アドレスの鍵は独自の文字や数字からできており、ウェブサイトやデスクトップ、スマートフォンあるいは紙に書いて保管しておける。ウォレットは誰でもパソコンにダウンロード可能で、ビットコイン自体は取引所で現金で購入すれば、電子メールのような手軽さで、製品なりサービスの売買がどしどしできる。取引は安全で迅速、しかも自由に行える。価格や供給量をめぐる中央当局の管理がなければ、手数料を取る中間業者も存在しない。口座を開設する際、本名を登録する必要もないのだ。

ただ、新技術の多くがそうであるように、ビットコインにも草創期ならではの問題があり、*無謀な投機の対象となり続け、価格が絶えず変動してきた。しかし、それらもやがて落ち着くだろう。この混乱が収まったとしても、ビットコインは支配的な仮想通貨にはなれないだろうが、使い勝手のよさから、一般の人や企業に普及している。

だが、もっとも肝心な点は、こうしたシステムは中央政府による保証がないにもかかわらず、多くの人がすでに利用している点である。クリプトアナーキー協会を訪問したとき、食事とコーヒーを買おうと列に並んだ。しかし、空港で法外な利率で両替したこの国の通貨コルナは受け取ってもらえなかった。「ここで使えるのはビットコインだけです」とアシスタントが説明してくれる（このビルはビットコインだけが流通する、世界で唯一の場所であることをあとになって知った）。

金本位制をやめて以来、国という国の紙幣が信用に基づいて流通している。私たちがポンドやドルを受け取るのは、誰もが信じているからという信頼にすぎない。そして、人々はビットコインとそれを支える数学についても信頼を寄せているのだ。協会のカフェで働く従業員の賃金は、ビットコインで支払われている。彼らが働くカフェの家賃もビットコインで支払われている。

ＱＲコードがついたプラスチックカードを手渡された。三台ある黄色のＡＴＭを使ってチャージができる。チャージした時点で、ほしいものがあればＱＲコードをかざすだけで済むようになった。コーヒー、ピン！　レッドブル、ピン！　シチュー、ピン！　スノーデンのポストカード、ピン！　手持ちのコルナ《グーラッシュ》は結局使わずじまいだった。＊＊

＊　なかでも大きな問題は、〝採掘《マイニング》〟の集中、取引速度の遅さ、環境コスト、疑問の余地がある〝新規仮想通貨公開〟、また限られた者の保有率の高さである。

＊＊　このときチャージしたビットコインは、当時三〇〇ポンドだったが、現在のレートでは五〇〇〇ポンド。あのとき飲んだコーヒーはいまなら七五ポンドだ。当時、カフェで働いていた従業員のなかには、たぶんそれなりの利益を得て、店をやめた者もいるのだろう。

誰にも記録を消せないブロックチェーン

だが、ビットコインは単なる現金を超えるものであり、情報を扱う新たな方法でもある。短い話だが技術をめぐる重要な点なので、もう少しこの話におつきあい願いたい。

誰かが支払いとしてビットコインを相手に送るたびに、取引の記録はブロックチェーンと呼ばれる部分に記録される。これまで行われたビットコインの取引をすべて記録する巨大なデータベースだ。ブロックがチェーンのように連なったブロックチェーン、それぞれのブロックには一〇分間の分の取引記録が格納されている。ブロックは時系列に沿ってつながっている。それぞれのブロックには、〝ハッシュ値〟という前のブロックの内容を示す目印《シグネチャー》の情報も格納されており、これによって順序を管理し、前のブロックが終わったところから新しいブロックがチェーンに確実につながるようにしている。

ブロックチェーンの記録は、ソフトがインストールされた何千というコンピュータによって分散して管理されている。そのため、データを変えるには、分散する個々のコンピュータの記録を残らず書き換えなければならないので、過去の取引を抹消したり、改竄したりすることはできない。ビットコインは〝匿名〟(anonymous)だと何かで読んだことのある人もいるかもしれないが、厳密に言うとそうではないのは、このデータベースの記録が存在するからである。とはいえ、ブロックチェーンが取引を記録するからといって、取引の当事者の身元とはリンクしていない。書き手によっては〝変名〟（pseudonymous）という言い方を好んで使う者もなかにはいる。簡単に言うなら、ブロックチェーンとは、分散型で不正防止機能がついた巨大なデータベースであり、誰でも参加できるが、記録を消去できる者は一人としていない、ということになる。

ビットコインのブロックチェーンは、金銭上の決済を記録するために設計されたものだが、ほかの情報も記録することができる。

ブロックチェーンがインターネットに匹敵するほど革命的であるのは、これまでより脱中央集権的、つまり分権的に情報を記録できる方法であるからなのだ。クリプトアナーキストは有頂天になった。ブロックチェーンのTシャツが作られた。トップの思想家はロックスターばりの人気者だ。運動の指導者は、町の中心街にある高級な施設を会場にして高額な協議会を催し、同好のグループは平日のパブに集う。熱気と活力と何十億ドルの金で状況全体が沸き立っている。

最近になって、あらゆるタイプのブロックチェーンソフトがリリースされた。ピアツーピア（P2P）のオープンバザール（OpenBazaar）は、電源を切ることができないほど夢中になる。このほかにも分権型のファイル記憶、分散型のドメイン・ネーム・システム（DNS）、詐欺に対処するインドの土地所有の記録から、市場の予測ソフトまでがある。ソーシャルメディアのソフトとして稼働しているものもある。分権型のブロックチェーンでホストされているので、検閲や管理は不可能だ。

おそらく、ブロックチェーンの新たな波となる重要な機能は「スマートコントラクト」（訳註：ブロックチェーンによって、契約行為をプログラム化して自動的に実行）だが、命令を自動的に実行するプログラミング言語と、契約書で使われる言語の差という問題をどのように解決するのかが課題だ。

スマートコントラクトはさかのぼること一九九四年、ニック・サボによってはじめて提案された[4]（彼もまたサイファーパンクとして、初期のメーリングリストに登録されていた）。スマートコントラクトは次のように機能する。契約事項をプログラムの形で記載し、契約の条件が満たされたら自動的に執行する。たとえば、インボイスが提出されたら、支払いが実行されるなど、いったん執行が始まれば、改竄しようにもそんな真似は不可能だ。

クリプトアナーキーは今日明日のうちに社会を乗っ取るわけではないが、あからさまな方針と活動のせいで社会の周辺勢力にとどまっている。そして、暗号化を日々利用している市民の多くは、自身をクリプトアナーキストと考えたことはないだろう。人気のメッセージアプリ、ワッツアップ同様、世界の電子取引を支えている技術もまたしかりだ。暗号化のツールと理念はすでに社会の主流に侵入できたが、その技術は私たちをどこに連れていこうとしているのだろうか。

「すべてがつながること」の危うさ

こうした技術は、いくつか重要な点で民主主義を後押しし、個人の自由という理念を確実に前進させている。幸いなことに私は、安定した民主主義という贅沢な環境のもとで原稿を書いているが、世界の大半の国々は抑圧的な政府によって占められ、そうした国では良心や表現の自由はことごとく否定されている。暗号化を使えば、個人を守ることができるし、そのなかにはジャーナリストも含まれる。民主主義において、ジャーナリストの存在は不可欠であるのは言うまでもない。

同じように、ビットコインにも有効な使い方が数え切れないほどある（同様な原理で機能する、何百という仮想通貨も含め）。手数料や銀行がなくても、瞬く間に世界各地に送金できるので、腐敗した政治家のせいで金融部門が債務超過に陥っている国々では、国民を解放するうえでとくに役に立つだろう。また、公的な銀行制度から締め出されている何百万という人たちには、仮想通貨による確実な支払いという選択を提供できるようになる。これらはささやかな恩恵ではないはずだ。ただ、ブロックチェーンの恩恵は潜在的に安定性を欠くものであり、モノのインターネット（ＩｏＴ）で相互に制御するようになればなおさらだ。

ここで想像していただきたいことがある。些細な欠点と必要な修理を検出できるセンサーが実装された橋だ。センサーは、この橋を利用する車両についても追跡することができる機能を備えている。ひとたび問題箇所が基準点を超えると、その時点でスマートコントラクトが自動的にプログラムを作動させ、橋を利用する車両の所有者に使用分に応じた割り当て金額をただちに請求する。これは行政上の運営に大きな利益をもたらすだろう。イギリス政府はこのような書き換え不能なデータベースによって、「政府機関と民間との取引をめぐり、透明性を高める」機会が生み出せると期待している。

この流れを全力で推し進めている国がエストニアだ。市民の健康情報は、デジタルアイデンティティーを使ったブロックチェーンに格納されている。各自でログインして、医師の所見を確かめることができるし、またその理由について確認することもできるのだ。

クリプトアナーキーこそ、私が第5章で検証した技術的独占、さらに第1章で論じた自由意志の死に反攻することができる、唯一の理念であるのかもしれない。

ティモシー・メイのような人物が、私たちが意識する二〇年も前から、すべてがつながる危うさを見破っていた。本書で扱ってきた問題の大半とは、データ優先の管理主義や監視社会に向けられたクリプトアナーキストが抱いていた恐怖を改めて述べたものなのだ。データイズムに対する巨大テクノロジー企業のとめどない追求から自らを守るうえで、彼らが生み出した技術のなかには、数年のうちにきわめて重要になる技術もあるはずだ。

しかし、この革命が行きつく先は、支持者たちが理解する以上にはるかな範囲に及んでいる。善意に基づくプライバシーと自由の追求には、この権利を支える体系そのものを蝕むリスクを冒す恐れがあるのだ。この点について、リベラル派の多くが本当に目先のことばかりしか考えてこなかったのは、自由と平等が時に相反しあうことに気づかないまま、彼らは完全なる自由と平等を同時に望んだからである。暗号化とプライバシーに関する問題が、風変わりな政治的連携を生み出せなかったのはそのせいなのだ（近年とりわけ注目を集めた例で言うなら、クリプトアナーキストのジュリアン・アサンジに対する、社会民主主義者たちの間の抜けた熱狂だろう）。

民主主義とは、もちろん個人の自由にかかわるものであるが、それはこの制度の半面でしかない。民主主義が同時に強制を強いるシステムであるのは、時によって自由が制限される場合があるからだ。政府は、国民に税を課したり、パスポートを没収したり、集会やそれを支持する権利を制限したりすることができなければならず、必要なら、逮捕、投獄という強制力が行使される。公式の納税記録、土地登記簿、犯罪歴、国税調査、渡航歴など、政府が情報を管理するのは正当な行為であり、こうした記録を通じて、強制力のシステムが整えられる。国の管理を認めるモラル上の裏付けは、法律や権力には国民の意思が反映されており、ある種の基本的な権利を保護しているという主張だ。

国家の管理に対し、クリプトアナーキーが非常に危険な存在であるのは、国民を強制し、情報を管理しようとする当局の権威に、正面から歯向かっているからである。彼らは、われわれの権利や自由は、民主的な手続きを経た法律に依存するのではなく、人為的な法律や判決、警察力をもってしても変えたり、侵入したりすることができない、改竄不能なテクノロジーを重視すべきだと固く信じている。情報は政府が管理する秘密のデータベースではなく、誰にも管理されない脱中央集権型のシステムに格納されるべきだとクリプトアナーキストは唱える。

人間は誕生と同時に社会契約を結ぶ。社会は人間に権利を授けもするが、同時に義務を課し、社会は暴力を用いてでも義務を実行させることができるとルソーは書いた。クリプトアナーキストは後者の義務から手を引こうとするが、それは前者の権利を犠牲にすることになるだろう。国家の権威にこれほど基本的なレベルから挑発することで、クリプトアナーキーという妖怪は、ティモシー・メイが予言した通り、いまや民主社会を支える機能を脅かしている。

政治と司法に対する信頼が損なわれていく

法と秩序の安定は、国家がまっさきに果たす義務と見なされる場合が少なくない。クリプトアナーキーはともかくとして、インターネットとは政治がやすやすと扱えるような問題ではないのだ。インターネットは、人間の創造的な能力と同時に、破壊的な能力をも高めてしまう。個人の自由にとってはいいが、法を執行する機関にとってはたまったものではなく、仕事の範疇は際限なく拡大していく一方で、どう対応していいのか当の関係機関にもわからない。私たちの結びつきが広がれば広がるほど、私たちの脆弱性は高まっていく。ロシア人はかつてスターリングラードと呼ばれたボルゴグラードの巣窟にいながら、人の金を盗み出すことができるのだ。

私だってその気になれば（もちろん仮定の話）、トーアのような匿名サイトからダークネットに飛び、そこからランサムウェア（身代金要求型ウイルス）を世界中に拡散させることができる。あとは、悪意あるリンクと知らずにクリックした、うぶなネットユーザーから身代金のビットコインが振り込まれるのを待つだけでいい。この方法なら、これというスキルやノウハウはとくに必要ない[5]。

しかも、サイバー犯罪については、うまく起訴まで持ち込めた例はほんのわずかだ。相手がロシアのハッカーなら、警察に打てる手はほとんどない。盗まれたデータの売買を止められないのだ。警察もネットから違法ポルノを除外しようと躍起だ。とはいえ、こんな状況にクリプトアナーキストが満足する気はない。むしろ、当惑している。

個々の市民にすれば、優れた暗号化技術は、デジタル犯罪の問題を解決するひとつの解決策となるだろう。しかし、クリプトアナーキーが広まれば広まるほど、こうした事態はさらに悪化してゆく。ネット上には、法律が及ばないクリプトアナーキーがたむろする場所がすでにたくさんできあがっている。

シルクロード（Silk Road）は、いわゆる闇サイトにある匿名のマーケットプレイスで、ビットコインが発明された二年後に立ち上げられた。売り手や買い手の素性を隠すためにトーアを使ってアクセスし、やり取りは暗号化されたメッセージで交わし、ビットコインで決済していた。二〇一一年から二〇一三年にかけ、このサイトは一二億ドル超の売上をあげていたが、その大半は違法ドラッグだった。シルクロードは最終的に閉鎖されたが、現在でも似たような闇サイトはいくつか存在し、盗まれた個人情報、麻薬、児童ポルノが、まるでアマゾンさながらの品揃えで売買されている。

ブロックチェーンをベースにした、ソーシャルメディアのプラットフォームを想像してみてほしい（「マストドン」（Mastodon）のように、このタイプのソフトはすでに開発され、こちらは闇サイトとは関係ない）。投稿と同時に記事は分権型のブロックチェーンデータベースに預けられる。フェイスブックが運営するサーバーは、巨大なデータセンターに置かれ、同社の手で管理されている。つまり、ユーザーが見る記事は消去することも、編集することもできるのだ。

一方、ブロックチェーン化された、ソーシャルメディアのプラットフォームの場合、投稿された内容に手を加えることはできない。ヘイトスピーチ、違法な画像、テロリストのプロパガンダであろうと、ネットワーク全体が消え失せでもしないかぎり、政府であっても改編したり、取り除いたりすることは決してできないのだ。

ブロックチェーンの提唱者は〝仲介業者〟の存在を毛嫌いする。テクノロジーを使い、仲介業者を排除する方法の話に余念がない。仲介者抜きの契約、会計士抜きのインボイス、行員抜きの融資の話を説いてまわっている。だが、仲介業者がいるから融通がきくという場合がある。法的な削除要請にフェイスブックもツイッターも対応が遅く、反応も鈍いと、警察はよくこぼしている。しかし、フェイスブックもツイッターも進出した国の法律に従っているし、削除に応じられるのも、自社でサーバーを所有しているからだ。間もなく、警察がフェイスブックやツイッターのことを愛おしそうに振り返る日がくるのだろう。少なくともそこには、頼りにできる仲介業者が確かに存在した。分権型のネットワークを向こうにまわすぐらいなら、月の軌道を変えるという法案を通したほうがはるかにましだ。[6]

政治と刑事司法制度全体に対する国民の信頼が、どれほど損なわれることになるのか、ブロックチェーンの提唱者はそのリスクに気づいていない。警察が不法なコンテンツをネットから取り除くことすらできなくなったらどうなるのか。あるいは、サイバー犯罪を起訴できなかったり、悪質なソフトウェアを停止させたりすることができなくなれば、一体どうなってしまうのか。

治安問題など、集団の権利のために、個人の自由をある程度手放すのは、民主制のもとで生きていくことに伴う〝取引〟の一部だ。そして、クリプトアナーキーが台頭してくれば、政府は当事者としての責任を果たすべく、必死になって彼らを抑え込もうとしてくるだろう。このことがそれほど重要であるのは、今後出現する技術を使えば、小規模な集団であっても社会を害する力は飛躍的に拡大するので、当局もまたますます権力を必要とするようになるからだ。権力は大きくなることはあっても、その逆はない。

私にもまだその理由はよくわからないが、いまや人類は森羅万象ことごとくを結びつけようという、ドン・キホーテさながらの冒険の旅の途上にある。これから一〇年のうち、テレビ、ペット、家屋、車、冷蔵庫、衣類は不可視のモノのインターネット（IoT）によってネットワークの一部となるはずだ。内蔵されたチップを通じ、それぞれで情報をやりとりすることが可能となる。人命救助に役立つこともある。コンピュータ化された火災警報がスマホに向け、警報をただちに発すると、部屋の扉を開けて退路を確保し、消防署に通報してくれる。

だが、こうしたIoT機器はきわめて脆弱でもある。セキュリティー規格のひどさはよく知られている。補助人工心臓、車、ベビーモニター、自宅のウェブカメラがすでにハッキングされた話などその好例だ。ごくごく個人レベルの話をするなら、コンピュータ内蔵のコーヒーメーカーがランサムウェアに乗っ取られ、少額の身代金を払うまでは目覚めのコーヒーは当分のあいだおあずけということになりかねない。

サイバー犯罪のスキルは日を追うごとに、わずかではあるがよりシンプルになりつつある。二〇一八年はじめ、オートスポリット（AutoSploit）という脆弱なIoT機器を自動的に見つけ出せるプログラムが、現在では容易に入手できるようになったと報告された。攻撃対象を見つけたら、メタスポリット（Metasploit）のデータベースをスキャンし、最適な攻撃態勢を発見する（訳註：メタスポリットは、対象ホストの脆弱性をスキャンし、侵入者に対しては攻撃コードを作成する）。

これは完全に自動化された犯罪だ。プログラムを立ち上げたら、ソフトはサイバースペースの内部へと姿をくらまし、手当たりしだいに不正侵入していく。どのIoT機器が攻撃されたのかも知らない相手を、手抜かりなく起訴することなどできるのかという法的問題の難しさに加え、このプログラムを使えば、誰でもスキルなしでハッカーになれる。

この手のツールは、通常、セキュリティーの専門家が脆弱性の特定と修復というまっとうな意図に基づいて開発されたものだが、不心得者によって悪用されたのは一度や二度のことではない。誰もが入手できるこの分権型プログラムが、もし人工知能と結びついたら、一体何が起こるのか。マーク・グッドマンは近著『フューチャー・クライム：サイバー犯罪からの完全防衛マニュアル』（青土社）で、アル・カポネが生きていたら、強力な人工知能をコントロールし、相手が乗る車を乗っ取り、わざと衝突させれば人を殺すこともできると説明していた。

問題はネットに限られるというわけではない。わけても空恐ろしいシナリオを紹介するのは、人工知能の専門家スチュワート・ラッセルだ。広範に普及してきたミツバチサイズのドローンを使い、相手の目に向けて最小限の爆発物を発射すれば人を殺すこともできる。いつの日か、このドローンが手ごろな価格で売り出されれば、遠隔操作で目標まで飛ばし、顔認識システムを使って目標を特定して殺害することも可能だ。正体が発覚する場合に備え、ドローンには自爆装置がついている。政府がこうしたドローンの販売を禁止したところで、死の飛行物体は闇サイトに流れ、ここで売買されるようになるだけの話である。そもそも、この闇サイトを閉鎖させる力が政府にはないのだ。

もっとも、こんなことは一夜のうちに実現はしないので、窓が閉まっているのかどうか気に病む必要はない。それに、警察も決して無力なわけではない。闇サイトの住人や暗号通貨を不正に使用した者も摘発されている。当局がもし本気になって追跡に着手すれば、たいていの場合、打てる手はあるのだ。しかし問題は、ネットの犯罪を特定し、起訴まで持ち込むには、これまでをはるかにうわまわる予算と時間がかかり、むしろ警察はこの種の件に及び腰になりつつある。法的処罰に要する経費も上昇しているので、犯罪に手を染める敷居は低くなる一方だ。

通貨発行権に対する真っ向からの挑戦

犯罪といえば、近代の警察制度と刑事司法が成立して以来、攻撃する側と保護する側でつねに軍拡戦争が繰り返されてきたが、両者のあいだには予定調和めいた均衡が存在していた。だが、今後も変わらずにこの均衡が保たれていくと考えたら大まちがいだ。ここ数年、それを予感させる明らかな証拠も存在する。

これに不安を覚えるとしたら(おそらくそうであると思う)、それはビットコインの挑発が、政府の存亡にかかわる可能性を秘めているからである。これは政府の通貨発行権に対する真っ向からの挑戦にほかならない。今日、ビットコインのコミュニティーを利用する大半の人々は、ビットコインを通貨と見なし、政府発行の通貨より効率性にまさり、政治の気まぐれに左右される機会も少ないと考えている。もはやシステムを転覆させる、闇サイトの全能のツールではない。

かりに通貨が政府の手から独立したら、政府はなんとしてでもそれを奪い返そうとするはずだ。紙幣発行権は政府中央銀行に属しており、中央銀行は紙幣の発行総量を増減させることができる（歳入を高める手段でもある）。また、通貨の流通をとどこおりなく監視しており、不正行為の追及や増税の際にひと役買っている。

ビットコインは交換と価値保存の媒体で、それは国境を越え、匿名で流通して、政府によって管理されてはいない。「かつて私たちは政治的権威に裏付けられた通貨を持っていたが、いまでは数学的証明に裏付けられた通貨を持っている」と、暗号科学の専門家ドミニク・フリスビーは書いている。

なぜこうした発言があるのか、それについては、ビットコインの技術設計がなんらかの手がかりを与えてくれるだろう。ビットコインが登場するまで、クリプトアナーキストたちは、脱中央集権的で匿名が担保された決済システムの構築を何年にもわたって夢見てきた。サイファーパンクのメーリングリストでも、この件はさかんに論議されてきた。メーリングリストが落ち着きを見せた二〇〇〇年ごろ、メンバーの一人、ペリー・メッツガーはこうした論議の進展を図るため、暗号学に関する新たなフォーラムを立ち上げた。

二〇〇八年、サトシ・ナカモト（匿名性に対するクリプトアナーキストの偏愛を順守している人物で、その正体は現在に至るまで不明）が、ビットコインに関する論文をはじめて投稿する。世界の金融制度に不信を抱いていたナカモトは、ビットコインこそこのシステムを破壊に追いやる手段であると思い描いた。マネーサプライの鍵を握り、自分たちの都合に合わせて供給量を操作する銀行家と政府をナカモトは忌み嫌った。

ナカモトはビットコインの発行枚数に上限（二一〇〇万）を設けると、その発行を早期に達成させるタイムテーブルを用意した。これは、中央政府あるいは中央銀行のように、紙幣を大量に刷り、政策目的でインフレを発生させないためだ。ビットコインも現実世界の通貨のように売買できるが、上限に達すればそれ以上は発行されない。手持ちのコンピュータの計算能力を提供し、公開されているブロックチェーンに格納された台帳の取引を検証する報酬として、きわめて少額ではあるが新規のビットコインが稼げるので（これを「採掘《マイニング》」という）、採掘競争になっている。

ピアツーピア（P2P）方式で接続しあう、暗号化されたこの疑似匿名システムは、ビットコインの取引と現実世界に生きる人間が容易にリンクできないように設計されている。そのため、税の徴収やユーザーの追跡はひと筋縄ではいかない。

現在の金融システムが完璧だとは思わないが、それでも仮想通貨が本格化すれば、多くの問題が発生するはずだ。まず、収入源が特定できないので、政府としては所得税を引き上げるのがますます難しくなる。そして、自己申告の件数が確実に増えていく。普通なら自己申告は避けそうだが、申告することで追跡はむしろ困難になるせいでもある。[7]

マネーロンダリングとともに、脱税もまちがいなく増えていくだろう。口やかましい法律事務の窓口や正式預金口座など存在しない仮想通貨で決済されているからだ[8]（ビットコインでは台帳が公開されているが、モネロ［Monero］やダッシュ［Dash］のような仮想通貨の場合、追跡はさらに難しい）。だが、どうなってしまうのか、本当のところは誰にもわからない。企業のなかには、追跡不能な仮想通貨を使ったブロックチェーンで業務を行い、すべての決済を追跡不能な仮想通貨で行うところが出現するかもしれない。

仮想通貨の課税法について、各国の政府が精査を始めているが、現時点では当局の関心の矛先は、インカムゲインや未徴収分ではなく、もっぱらキャピタルゲインに向けられている。[9] これまでを考えるなら、優れた暗号化の知識をもってすれば、大仕掛けで追跡不能なありとあらゆる手口の脱税が行われるはずだし、その場合、つけは不等に扱われる一方の、怒れる中流階級に降りかかってくる。

ただ、医療保険、環境変化、犯罪、福祉など、私たちがすでに直面している難題を踏まえると、この時点で国の収税能力を低下させてしまうことは、得策とは言えない。ある意味では、イギリス、フランス、アメリカで起きた革命はすべて、増税の正統性に関する条件をめぐり、意見の相違が生じたことに端を発していた。この事実を忘れてはならないだろう。「代表なくして課税なし」というように、「課税なくして代表もなし」となるのは、公共サービスを提供しようにも、先立つ財源がないからだ。そもそも、使える財源がなければ、代表を選ぶ意味もない。

政府に対するクリプトアナーキーの挑戦、この挑戦に対して当の政府がどのような反応を示しているかを考えれば、クリプトアナーキーの正体も見えてくるだろう。そして、政府が課税と検閲を放棄する可能性など、一〇〇パーセントありうる話ではない。それどころか、最優先でクリプトアナーキーの破壊に臨んでくるはずだ。

「匿名」という怪物が徘徊している

ドレッド・パイレーツ・ロバートの偽名で知られる、暗号マーケット「シルクロード」の開設者ロス・ウルブリヒトは、最後には逮捕され、仮釈放なしの事実上の終身刑を言い渡された。二〇一五年にこの判決をくだしたキャサリン・フォレスト判事は法廷で、シルクロードは存在そのものが「大きな問題であり、きわめて誤った方向へと向かい、耐えがたいほど危険である」と語った。

これほどの厳罰が科されたのは、暗号マーケットの運営は、政府当局に対する真正面からの脅しにほかならないからだ。サイトの破壊行為で何度も懲役を受けているアノニマスの活動家《ハックティビスト》に、アメリカの裁判所が厳刑を科すのも同じような理屈からだ。イギリスの内務大臣は、過激主義者のサイトの閲覧者に対し、最大一五年の懲役を科すなど、罰則を強化する意向を示した。独裁政権のお偉方のような提言だ。軍事機密を内部告発したチェルシー・マニングに言い渡された刑についても頭に入れておいたほうがいい（次はビットコインではないかと私はにらんでいる）。

オンライン犯罪に対するこのような馬鹿げた刑罰は、この問題がいかに深刻な問題をはらんでいるのか、それについて政府が真剣に向き合うようになったことを示す兆しだ。同時に、政府にはこうやって抑止するほかに、打つ手がないと考えることもできるだろう。そこからうかがえるのは、政府の強さではなく、むしろ弱さにほかならない。

クリプトアナーキーの台頭には、さらに根深いもうひとつ別の理由がある。クリプトアナーキストは、政治に対するテクノロジーの力について、信仰にも等しい絶大な信頼を寄せているのだ。彼らは世界を見渡し（そして歴史を振り返り）、民主的な政治判断によって引き起こされた抑圧や腐敗や苦痛が余すところなく記された告発状に目を凝らす。

ありていに言えば、民主主義はこれまで、金融市場の調整について、とりたてて褒められるような仕事をしてきたわけではない。最近起きた世界的な金融危機のあとに制定された業界のいくつかの規制があるにもかかわらず、銀行家のボーナスは相変わらず天文学的な金額で、破綻の責任の多くは、まるで何事もなかったように問われることもない。民主主義の国々は環境を破壊してきたが、それにきちんと応じることはできないようだ。また民主主義国の多くが、政治献金とロビイストの抜き差しならない影響を受け、一般の国民と政治との距離は遠のいていく。例年、何十億ドルという金が海外の銀行口座と複雑に配置されたペーパーカンパニーのなかに消えていく。「ジャーナル・オブ・デモクラシー」誌が最近実施した調査では、「生きていくうえで、民主主義は不可欠」という問いに対し、一九三〇年代生まれのアメリカ人の七五パーセントが「不可欠」と答えたのに対し、ミレニアル世代（一九八一年以降に生まれ二〇〇〇年以降に成人した者で構成される人口層）はわずか三〇パーセントにとどまった。ほかの民主主義国の大半も似たような傾向を示している。[10]

民主主義の失態は、とりわけ若者たちのあいだでクリプトアナーキーの存在をさらに魅力あるものにしている。道を誤り、その理由説明にも言いよどむ民主主義だが、比べてクリプトアナーキーは敬虔な神政政治も民主主義に通じる訴求力を持っている。不変にして完璧、しかも永遠の存在だ。

プライバシー保護の活動家は、きわめて良心的で理にかなっているという理由で、暗号化に信頼を置いている。彼らの多くには、国家のない、クリプトアナーキーの理想郷を作ろうなどという考えは毛頭ない。だが、結局私たちが行きつく先はそこなのだろう。ティモシー・メイ——おそらくクリプトアナーキーの世界でもっとも影響力を持つ第一人者——は、これから数十年で、私たちが知る民主主義国家は解体していくと信じている。

二年ほど前のことになるが、なんとかメイにインタビューすることができた。本人は最近のなりゆきに満足していた。「まったく、これでビッグブラザーも怖じ気づいたはずだ」と私に向かって語ると、「役立たずの穀潰しどもが、焼き払われていくのを目にすることになる」と、冗談半分で口にしていた。「この惑星にいる約四〇億から五〇億の人間は滅亡が避けられない運命だ。暗号化によって一パーセントの人間の安全が確保された世界が生み出されるだろう」

これこそクリプトアナーキストが心に描く夢の成就だ。制約という制約から解き放たれ、社会的な義務から自由な一パーセントが住む寒々とした世界——匿名という怪物がコンピュータ《マシン》のなかを徘徊している。

結論　ユートピアか、ディストピアか

テクノロジーによって社会はどんな変貌を遂げるのか、この問いをめぐって意見は分かれる。ただ、テクノロジーの後押しを受けた自由の時代というより、現実にはどうやらその逆のパターン、つまりますます多くの者が独裁的な理念や指導者に目を向け、社会の支配と秩序の回復を求めるようになる。民主主義を救えという掛け声とは裏腹に、民主主義は緩慢な死を遂げていくのだろうか。

民主主義を支える六本の主柱それぞれを通じ、この制度がいかに衰退しつつあるのかをご覧いただいた。しかし、現代のテクノロジー革命がどんな役割を演じきるかについては、確かなことは誰にもわからない。政治的な変化について、多くの人は二つのシナリオを心に抱いている。私が「ユートピア」版と「ディストピア」版と呼ぶシナリオだ。どちらがユートピアで、どちらがディストピアかについては、もちろん、当事者の政治的見解しだいである。

製品コストの低減が図られ、テクノロジーの進展で生産性が向上した結果、豊かな世界が実現し、単純労働を人間が行う必要はなくなる。政治上の右派と左派を問わず、ますます多くの人がそのように考えるようになる。より幸せな生活、苦労することもなく、さらに充実した毎日が送れる。ネットワークはますます広がり、情報量が増えることで、私たちも総じて賢くなり、知識も増えて、願わくはもっと他人に優しい人間になっているかもしれない。だが、この進歩に取り残される人が出ないようにするため、ベーシックインカムのような制度によって、富を広めていかなくてはならない。多くの人にとってこれはユートピアを意味するシナリオだ。

一方、ディストピアのシナリオでは、中央政府は適正に機能する能力を少しずつ劣化させていく。不平等はますます高まり、技術という技術、富という富が結局ごく限られた者たちに独占され、その他大勢の人々は、勝者に仕えることでかろうじて糊口をしのぐよりほか生きる手立てはなくなる。政府は正統性と権力、そして国民に選出された議員としての権利を失っていく。秩序は緩慢な死を遂げていき、作家アイン・ランドの『肩をすくめるアトラス』（アトランティス）に描かれているように、金持ちは堅く守られた砦のなかに身を隠していく。

これはある男が、別の夢想のなかで待ち望む悪夢だ。ティモシー・メイのような筋金入りのクリプトアナーキストにとって、このシナリオは必然であり、国家なきあとの仮想通貨のパラダイスと、ボーダーレスな仮想コミュニティーへと至る道に向かう、歓迎すべき一歩なのだ。

もちろん、いずれのシナリオとも、もっと微妙なニュアンスとリアルな側面を伴うのは言うまでもない。私は未来学者ではないが、双方のシナリオとも、テクノロジーそのものではなく、解き放たれたテクノロジーが引き起こす変化に向けられた、勝者と敗者の反応の描き込みがやはり甘いと思える。*

格差の拡大が社会そのものを分断する

そこで、第三の可能性が浮上してくる。本書でこれまで説明してきたすべてのトレンドが同時に展開したらという想定に基づいている。もちろん、世界は予断を許さないので、描いた通りに事が進むとは限らないが、それほど的をはずしてはいないはずだ。ただ、これは警告であり、将来を指し示す計画表ではない。もし、未来をイメージする力が私たちにあるなら、その未来を回避する方法も私たちには生み出すことが

---

* この種のテクノロジーを扱った好著として、物理学者のマックス・テグマークの『LIFE3.0』（紀伊國屋書店）、ニック・ボストロムの『スーパーインテリジェンス』（日本経済新聞出版）などがあるが、政治によって技術の進化と変化は変えられるのかという点には言及されていない。逆もまた真なりではないが、スティーブン・レビツキーとダニエル・ジブラットの『民主主義の死に方』（新潮社）では、テクノロジーについてはまったく触れられていない。

できる。

現時点では、格差の拡大は避けられそうにもないが、このまま拡大するなら、鬱病やアルコール依存症、犯罪の増加などのさまざまな社会問題をさらに悪化させてしまうことになるだろう。リチャード・ウィルキンソンとケイト・ピケットが『平等社会：経済成長に代わる、次の目標』（東洋経済新報社）で説くように、一国の経済格差が大きくなると、政策や健康保険、刑務所やその他の公共サービスがますます増大していくので、結果としてさらに大きな政府へと肥大していく。とはいえ、ギグエコノミーや独占企業の海外移転、仮想通貨などのせいで国の税基盤は縮小していく。

こうした難題やリスクに対処せよと国民が声をあげても、それにこたえる能力を政府はどんどんなくしていく。社会科学者のフランシス・フクヤマは、この状態を「低水準均衡」と呼んだ。政府が劣悪なあまり、国民のあいだに政府への不信が醸成されれば、やがて国民は政府が効率よく機能するうえで不可欠なコンプライアンスや政治資源の提供を拒むようになる。これは自己強化を繰り返していく問題であり、私たちはすでに、この破壊的な均衡の渦中にいるのではないか。

格差の拡大が社会にもたらす影響は、社会そのものの分断である。社会は異なるコミュニティーとエスニック集団から構成されるようになり、職業、教育はもちろん、オンラインにしてもオフラインにしても、その生活は決して交わることはない。個人用の人工知能ロボットを持ち、高い生産性とすばらしい医療サービスを謳歌している〝技術を持つ者〟と、賢いが底辺層に属する者のあいだで、新たな断層線が生じると予言する者がいる。前者はますます社会に深く関与し、後者はますます社会から遠のいていくことで、第5章で独占について説明したように、ある時点で政治は技術エリートたちによって壟断《ろうだん》されてしまうのだろう。

そのようなことになれば、機械は人間を解放するものではなく、人間を支配し、抑圧する力そのものだと多くの人々が見なすようになる。* 人々がテクノロジーに背を向け始めている前触れは、すでに存在しているのではないのか。ここ数年、「デジタル・デトックス」や自給自足の生活を営む者が増え、反ウーバーの抗議が高まりを見せている。

無人自動車やスタスキー社の無人トラックが現れたら、何が起こるのか想像してみるといい。ドライバーたちが黙って見過ごすわけはない。自動運転のおかげで五代先の孫がたぶん金持ちになり、交通事故で死亡する確率も減るだろうと、そんなことに彼らが慰めを覚えているとみんな本当に信じているのだろうか。トランプが公約していた雇用創出が、オートメーション化でふいになれば、いったいどうなってしまうのだろう。

民主主義が解決できない問題は「機械」にまかせよ

これで民主主義が崩壊するわけではないとはいえ、過剰な緊張をはらんでいくのはまちがいない。高止まりの不平等、社会の分断、低迷する経済、ひ弱で無能な政府など、いたるところで緊張が高まっていく。ここから向かう先は、先程のユートピア、ディストピアのいずれのシナリオでもなく、行きつくのはむしろ、蠱惑的な魅力を放つ、新たな権威主義的政治への傾斜という、民主主義にとってはむしろ危険な状況のように思える。

民主主義の衰退を研究するスティーブン・レビツキーとダニエル・ジブラットの二人によると、銃を手にした民衆によって民主主義は終わりを迎えると想像されがちだが、そんな真似をしなくとも、民主的に選出された政府を使い、民主主義の息の根をとめることはできる。二極に分断された、怒れる市民の支持を使い、民主主義の制度上の守りを政府が少しずつ取り払っていけばいいのだ。民主主義の価値と制度では、もはや社会的な問題は解決されず、犯罪は増え、雇用も生み出すことはできないと大勢の国民が諦めてしまう。私のシナリオでは、これこそまぎれもない民主主義の脅威なのだ。

では、民主主義ではなく、国民は何をかわりに頼るようになるのだろう。〝さらに支配的な体制〟の扇動政治へ傾いていくのは容易に想像がつく。扇動政治家は、秩序と収拾と安定をふたたび取り戻すと国民に約束する——たとえ、民主主義の制度や規範をないがしろにする犠牲を払っても、その約束をやり遂げてくれる。**国際プロジェ

＊ 自由と人間精神への疑問がいったん湧き起これば、反対運動がどこまで高まるかは想像さえつかない。一九七八年から一九九五年に起きた連続爆弾テロ事件の犯人、〝ユナボマー〟ことセオドア・カジンスキーは、大学と航空業界を標的に一六の爆弾を送りつけ、三名が死亡、二三名が負傷した。カジンスキーは、ハーバード大学で数学を学んだ神童で、二〇代は自給自足の生活をして社会から隠れて過ごした。犯行の動機は、技術がもたらす変化は人類文明を破壊し、非人間的な独裁国家による支配の時代の先がけになるという信念だった。この理念をまとめたのが、三万単語に及ぶ反技術主義の犯行声明「産業社会とその未来」であり、カジンスキーはこの声明文を新聞社に送りつけた。カジンスキーの屈託のない人種差別と暴力革命への渇望を知ったいま、デジタル技術について書かれた彼の声明は、不快感を覚えるほど、これから先の未来について言い当てているように思える。スーパーインテリジェンスが統率する社会、テクノロジーに対する過度の依存という精神疾患の影響、技術に秀でた一部のエリートが牛耳る、手のつけられない不平等の世界について、カジンスキーは予言していた。

＊＊ ポーランドの国民議会は、与党「法と正義」が提出した、最高裁判事の人事に関する任命権を政府に付与する法案を通過させた。この法案は、判決のスピードアップと〝特権的カースト〟と呼ばれる司法の専門家の支配打破を表向きの理由にしていた（訳註：法案は上下両院を通過したが、その後、大統領が拒否権を発動）。ハンガリーでは、フィデス＝ハンガリー市民同盟がここ数年にわたり、独立系のメディアの勢力を削いできた。これは扇動政治家の操作によるものではなく、国民の要望にほかならない。

クト「世界価値観調査」によると、多くの民主主義国において権威主義政権を支持する国が増えているという。私たちが憂慮すべきはこうした事実なのだ。[1]

とはいえ、何百万という人々が大挙してファシストや新レーニン主義者に票を投じるのかどうかは疑わしい。ケンブリッジ大学の政治学者デイビッド・ランシマンは、近著『民主主義はいかに終わるのか』（*How Democracy Ends*／未邦訳）で、一九三〇年代に民主主義崩壊の端緒を求め続けるべきではないと説いている（ひとつには、ワイマール共和国の国民の年齢中央値は二五歳、今日、大半の民主主義国の年齢中央値はこれより二〇歳は高い。ファシズムとは血気盛んな青年の政治行動なのだ[2]）。現代の民主主義は、まちがいなくこれまでとは異なる形で終わりを迎え、一夜にして転覆するようなことはない。じっくりと時間をかけて進展していく問題なのだ。

ひとつの可能性として考えられるのは、政府と市民の双方で、民主主義では十分に対応しきれない問題について、機械を使って解決するという、反民主主義的な権威主義的政治を求める気運が高まるというものだ。あれこれ言いつつも、高度な専門知識を持つ高級官僚が、テクノロジーで武装すれば、国民はさらに豊かになるし、欲しいものも買えるようになる。高性能の人工知能を使い、官僚は気候変動の問題を解決し、手に負えなくなった犯罪に取り組み、エネルギーや食糧など、やがて到来する問題にも対処できる。

意思決定を自動で行えるコンピュータなら、非合理的で無知な人間抜きで、はるかに無駄なく資源を分配することもできるだろう。パワフルで謎に満ちたアルゴリズムで健康診断のデータを分析すれば、人間の寿命も急上昇する。そして、個人のプライバシーを丸裸にし、政府が仮想通貨を運営すれば、徴税は信じられないほど効率よく行われ、税収入は一気に跳ね上がる。

このようなテクノ権威主義のもとでは、人間に解放をもたらすデジタル手法は、狡猾な強制力を生み出す強大な装置にあっけなく変貌する。社会はこれまで以上に滞りなく機能はするだろうが、それ以上の自由を市民は望むべくもなく、為政者の責任を問うこともできない。

その流れは、分野ごとで動向が異なるとはいえ、私たちに法と秩序を守らせようとする。第6章でも触れたように、犯罪の大衆化に対して、政府はますます厳格な姿勢で臨んでこの傾向を牽制し、手に負えるレベルまで抑え込みにかかってくるだろう。

警察は警察で予算の縮小を余儀なくされているので、いままで以上にビッグデータと犯罪予測のソフトウエアに頼らざるをえなくなる。犯罪の発生を社会的に許容できるレベルで管理するうえで、予算を抑えることができ、しかも効率的に対処できるからだ。*しかし、ビッグデータと犯罪予測技術の開発は、原因となる問題に向き合うことなく、これまでの偏見や不平等にさらに拍車をかける。

拡大する格差、機械への盲目的で過剰な依存

想像してみてほしい。マイケル・コジンスキー博士のサイコグラフィックスやジーンズ販売のために開発された独創的な技術が、市民の行動や傾向――ゲイ、過激派、犯罪者、政府批判者など、当局にとって好ましからざる傾向をことごとく把握するために利用される可能性についてだ。そして、市民が誤った行動を取る前に、政府はその行動を矯正しようとする。

中国政府は最近、約一四億の国民の信頼性を評価する「社会信用システム」の開発に着手した。*訳註 当局の話では、徹底した透明性とモニタリングで、国民の信用度と〝誠実さ〟の水準の向上が図れるのだという。国民の日常をさまざまな面（信用度、社会性、私生活、職業）から採点する信用格付けのようなものなのだろう。このスコアは、デートの相手や結婚相手の選定の際にも影響してくるはずだ。[3] もちろん、政策文書では、この個人評価によって「信用を裏切らないことは名誉である、という世論環境が整えられる」と述べられている。

ビットコインに関しては、仮想通貨による取引は、過去のものまで含め、あますところなく政府が管理するデータベースで記録されることになるだろう。政府はパスワ

ードをすべて把握しているのだ。残高と取引に関する個人の全記録は、中央政府が収集・分析して、変更不可能なデータベースに格納されると、当人の健康データ、個人データ、信用データを格納する別のブロックチェーンと関連づけされる。

進歩的な技術エリートが、こうした扇動政治家になったり、少なくともこうした思想と手を組んだりすることはありえない話ではない。反民主主義的な考えに、彼らが悪びれもせず寝返られるのは、大衆のことなど信用しておらず、自分で社会を動かしてみたいという魅力に抗えないからだ。過去二〇〇年、個人の自由と個人の富が手に手を取って拡大してきたのは、自由が経済を育み、経済によって自由に重きを置く富裕な者が誕生してきたからだ。

自己補強を続けるこのサイクルが衰退したら、一体何が起こるのか。未来の経済成長が個人の自由と起業家精神に負うのではなく、資本と研究と企業化を駆り立てる高性能のコンピュータの所有しだいということになったら、一体どうなってしまうのだ

＊　こうしたソフトはすでに稼働しており、プレッドポル（PredPol）あるいはコンプスタット（CompStat）などがよく知られている。

＊訳註　二〇一八年の時点ですでに試験導入され、スコアの低い人物に対する高速鉄道や飛行機などの利用が禁じられた。計画では二〇二〇年中に全国民に対する完全実装が終了するといわれている。

ろうか。知りもしない、好きでもない貧しき人々のために、金持ちにはどのような方策が必要になるのだろうか。このシナリオのもとでは、〝ベーシックインカム〟とは、社会的に保証され、満足した市民の夢のユートピアではなく、億万長者が最下層の貧者が反乱を起こさないよう、社会に引き留めておくための、巧妙な手口にほかならない。

だからこそ、中流階級が衰退するという予測がそれほど不安なのだ。中流階級こそ、このディストピアを押し返す砦だ。参加民主主義の時代になっても、この制度を熱心に支持してきたのは、進歩的でリベラルな富裕層ではなく中流階級だった。本書で警告してきたデジタル技術への依存症、侵食される自由意志、バーベル型経済、暴力的な分断が、それほど深刻な問題となるのはそのせいだ。

拡大する格差と機械に対する盲目的で過剰な依存の結果、これまでのような中産階級がどうしようもなく弱ってしまえば、やがて襲来する者の正体に気づけないばかりか、活動のための時間や意志、手腕さえ彼らはなくしてしまう。煎じ詰めて言えば、私がここで言う民主主義の危惧とは、軍部の指導者が放送局や国会を襲撃するようなこととは違い、きわめて実態がとらえにくいものなのである。

ただ、独立系メディアの弱体、ハイテク企業が設立したNGOによって構成された市民社会、あるいは組織経験や処理能力が欠落したネット上の活動家では、技術と権威主義が結びついた政治《テクノ・オーソリテアリアニズム》へとゆるやかに傾斜していく流れに太刀打ちできるわけがない。たしかに、私たちには発言権があり、発言の土台となるプラットフォームを持つ時代にあっては、民主主義という理念は消え失せることはないだろう。国民投票や下院議員の選出などの手段を講じることもできる。

しかし、それは見せかけの制度と大差はない。その制度はごく少数の技術専門集団が動かし、まごうかたなき権力と権威の中央集権化はますます図られている。本当の自由のかわりに、コントロールされた自由のもとで、私たちは穏やかでそつなく、しかもさり気ないテクノ・オーソリテアリアニズムへと導きかれていくのだ。

私たちの大半はそれに気づくこともないだろうし、ほとんどの者が気にもとめようとしない。

シリコンバレーから逃げ出す者たち

この流れについて、心から不安を感じている者はほとんどいない。使い勝手のいい装置と技術は、個人に自由をもたらしているのだから、民主主義にとっても都合がいいという印象を直感的に抱いているのだ。これでは、もっと大きな問題が見えなくなる。一般の人たちとは対照的に、こうした技術を生み出した当の本人たちが、この問題について心から不安を覚えるようになってきたのだ。

私は最近、アントニオ・ガルシア・マルティネスのもとを訪れた。マルティネスは二年前まで、技術屋なら夢に見るような生活を送っていた。シリコンバレーの起業家の一人として、開放感のあるオフィスで、若いが百万長者の優秀な連中に囲まれて働いていた。二〇一四年、経営していたオンライン広告の会社をツイッターに売却してかなりの財産を得たあとは、フェイスブックで上級幹部として働いていた。このあたりの経歴については、彼が書いてベストセラーになった『サルたちの狂宴』(早川書房)に詳しい。

そして、二〇一五年のある日、マルティネスはあまり遠くない未来について考えをめぐらした。見えてきたのは、仲間たちが約束していたような、全情報がネットによって結びついた美しいユートピアではなく、まことに荒涼たる世界だった。「来たるべきものが何か、それを見てしまった。それはぞっとするようなものであり、私たちの先にあるのは、なにやらとてつもない暗黒の日々だと覚った」。マルティネスが四〇歳になったばかりのころである。そうなる前に逃げ出さなくてはならないと、マルティネスは決心した。

現在、マルティネスが生活の大半を過ごしているのは、ワシントン州沖合のオーカスという小さな島である。所有する五エーカー(約六一〇〇坪)の敷地へは、密林のでこぼこだらけの泥道を四輪駆動車でいくしかほかに手段はない。輝くばかりのガラスに覆われたビルと瀟洒なレンガ造りの建物のかわりに、彼が新たに手配した要具には、テント、建設用地、銃と銃弾、コンポストトイレ、発電機、ワイヤー、ソーラーパネルなどが含まれている。

クリックするごとにディストピアへと向かっていると考える起業家は、何もマルティネス一人だけではない。二〇一七年、リンクトインの共同創業者で、有力なベンチャーキャピタルでもあるリード・ホフマンは、「ニューヨーカー」のインタビューに対し、「シリコンバレーの大富豪のほぼ半数は、自分が〝世界の終末日保険〟と呼ぶものをなんらかの形で用意している」と語った。ペイパルの共同創業者で、ベンチャーキャピタルとして名高いピーター・ティールは、最近、避難先としてニュージーランドに四七七エーカー（約五八万坪）の土地を購入し、ニュージーランドの国籍を取得した。

ヘリコプター、防弾チョッキ、ビットコイン、金塊などなど、フェイスブックを使い、生き残り戦略について、意見をこっそり交わしているグループもいる。すべてがすべて、テクノロジーがもたらす未来への恐怖に駆られてのものではないだろう。テロや自然災害、感染症の大流行も考えられるが、やはり恐怖の大半はテクノロジーのせいだ。マルティネスの話では、自分のように未来に対して悲観的な考えを持つ者は、シリコンバレーの起業家のなかにも大勢いる。彼らは大っぴらに口にしないだけの話なのだ。

しかし、サバイバルの手段として銃やテントを用意するのは、私には行きすぎのように思えた。「何も用意はしていないのか」。巻き尺で巨大なテントを測っていたマルティネスに逆に尋ねられた。「サバイバルなど必要ないほうに賭けているんだな」。こたえようとするその前にそう言われた。図星だ。「あるのは希望。それがあなたの用意しているものだ。希望か――そんなものはクソの役にも立たない空手形だよ」

そして民主主義は静かに消えていくのか？

シシリー島とイタリア本土を分かつメッシーナ海峡、時として船乗りは、危険を顧みずこの海峡を漕ぎ渡ったとギリシャ神話には書かれている。神話では、航路の片方にはスキュラという恐ろしい海の怪物が潜んでおり、航路をそれて船が近寄ってくると、容赦なく襲っては船員を食い殺した。この怪物を避けようとして、海峡の反対側に船を寄せすぎると、今度はスキュラに劣らず危険な難所へ近づいていく。こちら側には、カリュブディスと呼ばれる巨大な渦が逆巻いている。

民主主義が力と支配を徐々に失っていく背後には、テクノロジーが潜んでいる。そして、スキュラのようなはっきりと目に見える怪物は、加速を続ける不平等であり、社会の機能不全だ。だが、それらを避けようとすれば、民主主義はカリュブディスの渦――デジタルによって強化された技術と権威主義が結びついた政治の渦の虜となり、秩序と調和の名のもとに、民主主義が毀損された中国やロシアのようになってしまうだろう。

支配と自由という二つの引力のはざまで、民主主義はこれまでつねにそうだったように、これからもなんとかして航路を踏みはずすことなく、前に進んでいかなくてはならない。つまり、私たちの生活を向上させ、さらに健康的で、さらに満ち足りたものにするためテクノロジーは受け入れるが、しかし、それと同時にテクノロジーは、民主的な支配と行為のもとに置かれていることが担保されていなくてはならない。

ロック、ルソー、モンテスキュー、ジェファーソンは、それぞれ独自の形で現代の民主主義の設計図を描いた。もし、彼らを二〇一八年の現代に連れてきたら、私たちが使うスマートフォン、飛行機、ビットコイン、病院、絵文字、ロケットランチャーに腰を抜かすはずだ。しかし、私たちがまだ、手押し車や馬、マスケット銃、ロウソクが使われていた時代と同じ流儀で民主主義を運営している事実を知れば、そんな彼らも呆れ返ってしまうことだろう。民主主義は各段階において、時代時代の創意を反映されてしかるべきものなのだ。民主主義を変えることができるものこそ、こうした時代精神だ。人工知能と同じように、民主主義もまた〝汎用〟のテクノロジーなのである。

古代アテネの人々は、顔と顔を向かい合わせ、ひとつの都市規模で民主主義政治を行っていた。ひとたび社会の規模が大きく、複雑になってくると、民主主義をきちんと機能させ続ける方法として、議会制民主主義が登場する。そして、産業化が進み、参政権が付与されると、これまでの議会制民主主義に、大衆政党、課税システムが加わる。以来、民主主義はこれという進化を遂げていない。

本書ではここまでテクノロジーの問題を検証してきたが、これまで述べてきた破綻の多くの原因は、急速に起こりつつある変化に、民主主義そのものの能力が追いついていけない点にもある。しかし、いまや新たな戦いが迫りつつある。社会を統治するのはテクノロジーか、人間なのかという、最上の統治方法をめぐる戦いだ。そして、国を富ませ、安定をもたらすうえで、民主主義は依然として最上の方法であることにまちがいはないのだろうか。

これは運用上の問題であると同時に、信条にもかかわる問題だ。その答えを持っているのは、現時点ではテクノロジーのように思える。民主主義が巻き返しを図るためには、ビッグデータとスマートマシンが溢れ、あますところなく結びつけられた世界に向け、胸躍るビジョンを差し出すとともに、それを達成しうる信憑性ある方法を提案しなくてはならない。次のエピローグでは、それに挑んでいくための二〇の方法について説明している。もちろん容易な方法ではない。

このような興味深い時代に生きることは、私たちに課された定めなのだ。過去に変化を遂げた民主主義は、ふたたび変化を遂げるかもしれない。ただ、どのような結果になるのか、現時点で見通すのは難しい。しかし、私たちが流れを変えなければ、民主主義はテクノロジー革命に洗い流され、つかの間有効に機能したもうひとつの政治実験として、封建主義、絶対君主制、共産主義の列に加えられていくだろう。そして、テクノロジーの発展に順応できなかった制度として、静かに消え去っていく。

放っておいても、民主主義がどうにかなるわけではない。民主主義がデジタル時代を生き抜いていくには、市民の思い切った行動と指導者の大胆なアイデア、そして抜本的な改革をひとつに結びつけなくてはならない。民主主義そのものがデジタル時代に合わせて刷新され、ふたたび市民の信用と信頼を取り戻す必要があるのだ。

モラルの権威と強みによって、六本の主柱それぞれの守備を固めていくことから始めるといい。しかし、これは長い期間にわたる挑戦で、しかも、これでただちに事態が改善されるわけではない。ここではこの挑戦に役立つ二〇のアイデアをまとめた。

モラル上の自律性を備えた主体的な市民になるよう

①個人としての意見を持つ

かつてない勢いで加速する文化のもとでは、時間や注意力が圧倒的に不足し、ネット上のサイトの比較だろうがグーグルマップだろうが、何を選び、どう決定するのかということまで、人々はつねに助けを求めている。自分で考えるという義務を、第三者に委ねることに警戒しなくてはならない。目先の助けになりそうでも、長い目で見れば判断力は衰退していく。政治的な判断やモラル上の判断をくだす場合、このことはますます危うさをはらんでくる。

②集中力を維持する

デジタル時代では、人は何らかの影響を受け、本来の自分のままではいられない。ジョン・スチュアート・ミルが言う「心の自由」を唱え、それを守り抜くには、なみなみならない努力と覚悟が伴う。また、オンライン上の政治がらみの発言は、どれほど些細なものであれ、いずれもなにがしかの影響力があるので、気を抜くことはできない。

ネットに費やす時間を検討し、間隔を開けて使うようにしなければ、ネット中毒の奴隷になり果て、デバイスが手放せない生活になってしまう。そうなれば、犠牲になるのは集中力と正しい関心の対象だ。電源を切る時間を設け、〝スマホが手放せない〟状態に陥るのを避けるとともに、サイトの更新ボタンは決して押してはいけない。依存症患者の誰もがそうであるように、やはり自制心によって自身をコントロールしなくてはならないのだ。これは注意を怠らない市民としての、義務のひとつと考えてほしい。

③新たなデジタル倫理の確立

かつてグーグルで設計を担当していたトリスタン・ハリスが提唱する「時間を有効に使おう」運動と、彼が支持する「有意義な交流」を踏まえ、巨大ハイテク企業を巻き込んで、デジタル技術をめぐる新たな倫理を整える必要があるだろう。企業に対し、クリックの最大化ばかりを図るのではなく、人類の幸福に寄与することを目指したサービスをデザインするよう後押しするのだ。倫理的な信念とそうでない信念のあいだには、まちがいなく明確な一線が存在する。関心が交換材となるアテンションエコノミー（関心経済）の関心を、人的価値に置き換えなくてはならない。*

＊ この構想に関する詳しい情報は、以下のサイトで閲覧できる。二〇一七年後半以降、マーク・ザッカーバーグも「時間を有効に使おう」（time well spent）と頻繁に言及するようになった。 https://humanetech.com/

共通の現実認識と妥協の精神を備えた民主主義の文化

④内なる反響室を粉砕せよ

ネット上の振る舞いをめぐり、他人を非難するのは簡単だが、礼儀をわきまえる義務は誰にでも伴う。そして、それに向けて考えを一致させていくなら、出発点として、相手の意見にきちんと耳を傾けていくことが有効だ。相手をはねつけ、悪意に基づいているなどと疑ってかかるべきではない。そのためには「思いやりの法則」、つまり相手の考えをできるだけ最善の意味で受けとめるように心がけたい。

政治では、活発な議論が交わされてしかるべきだが、別の考えに基づく相手の意見を尊重するという基本的な信条のうえに政治は成り立つ。自分の声だけがこだまする内なる反響室《エコーチェンバー》を打破するためには、別のニュースソースを探したり、あるいはフェイスブックの違うグループに加わったり、新たなニュースフィードの登録など、意識して努力を重ねなくてはならない。思いやりの法則を心に留め、自分とは異なる相手の立場で考えてみるのだ。ネットに関するあの黄金律を忘れてはならないだろう。つまり、ネット上では不愉快でも、生身の相手は往々にしてそうではない。

⑤クリティカルシンキング

これは私たち市民だけの責任ではない。教育制度もまた、過剰で混乱を極めた情報世界に対応する必要がある。インターネットの海を疑いの心を持って渡っていけるよう、学校という学校でテクノロジーを対象にした、クリティカルシンキングを教えたほうがいい。

いろいろな情報を正しく判断できる能力は新しい話ではないが、現在必要とされるのは、従来の技術（ニュースソースの検証）とデジタル世界の新機能（たとえばアルゴリズムや画像編集）などの新たな知識を結びつけ、さらに人間の心理的偏向と非合理性に関する深い理解などといった、具体的なスキルと知識の体系だ。

また、ネット上の虚報にさらされているのは若者だけではない。日々使うネットについて賢明なユーザーになるための本や情報はたくさんあり、誰もが利用することができる。*

＊　ネットにはファクトチェック（事実検証）をしてくれるサイトが多数存在し、なかでもアメリカのポリティファクト（PolitiFact）、イギリスのフルファクト（Full Fact）がよく知られる。だが、ファクトチェックはこうしたサイトだけでは不十分なので、クリティカルシンキングによる広範な検証は欠かせない。

⑥アルゴリズムへの査察

非公開で開発されたアルゴリズムによって、データ主導による偏向や目には見えない不正がすでに発生しているため、民主的な機構を一刻も早く整え、アルゴリズムの責任を問わなければならない。立法担当者は、国内機関、国際機関を問わず、アメリカ合衆国内国歳入庁（ＩＲＳ）、あるいはイギリスの教育監査局（Ｏｆｓｔｅｄ《オフステッド》）のような権限を持つ査察機関を設置しなくてはならない。必要とあれば、アルゴリズムを検証できる技術を持つ技官を巨大ハイテク企業に送り込んで捜査し、不定期な抜き打ち検査や具体的な告発に関連する調査を実施する。

現代のアルゴリズムは、もはや「ボンネットを開けて調べる」程度の調査では済まないが、それでも入念な検証や監視は依然として可能だ。こうした査察が、とくにものを言うのが選挙期間中である。この期間、ニュースフィードの変更や世論に影響を与える調査結果が公表されれば、政府はその理由や説明をかならず求めるようになるからだ。

⑦広告モデルから抜け出す

広告業界の関係者が口にする通り、「金を払っていなければ、あなたは顧客ではなく、売られる立場の商品」なのだ。広告ありきでまわるネット経済は、金を払わない私たちを単なるデータポイントと見なすが、これはやめさせなければならない。しかし、私たちの協力なくしては、それを実現することはできない。

もっと透明性の高いサイトを探し、個人データを収集・売買しないサービスを利用したり（高品質のシステムを提供している有料サイトについて検討してみる）、個人データの設定管理や広告除去ソフト《アドブロッカー》をダウンロードしたりして個人データの保護強化を図るなど、政治的な声をあげ、このような変化を支持する。

自由で公平、そして国民の信頼を高める選挙

⑧選挙関連法の改正

アナログ時代の選挙関連の規制は、デジタル時代に見合った速度あるものに改正しなければならない。イギリスの選挙委員会は、ソーシャルメディア関連の全支出の記録とその閲覧を要求し、さらに個人データの悪用、不正行為への支出について捜査できる環境を整える必要がある。[1]

政党に対しては、選挙期間中に使用した、すべてのデータポイント、政治広告、ターゲティングの技法に関するデータベースの公開を求めてしかるべきだ。そうすれば、ジャーナリストや学者がそれを分析して、不法行為が行われていれば公表することもできる。透明性を求めていくことで、選挙キャンペーンの公正が（わずかとはいえ）

担保されるようになれば、それだけサイコグラフィックスのような悪質な手口は抑え込まれる。*

⑨選挙の祭典

マイクロターゲティングで国民の支持を取りつけようとすればするほど、国民の党派性はさらに細分化されていく。つまり選挙戦とは、国民が自分の考えとは異なる人たちや理念に関与する機会を授けてくれることも意味するのだ。投票日は公休日にし、国民に対し、選挙キャンペーン中に聞かされ続けた公約や誓い、偏見やたわ言の無数の組み合わせをじっくり検討できる機会を提供したほうがいい。そして、演説や討論会や集会も開催できるようにする（できるなら投票日前日も含める。投票日当日の選挙活動を制限する決まりがあるからだ）。

⑩ボットの撲滅

ソーシャルメディアのボットを法的に禁じることはできそうにないので、ボットや荒らし、あるいは選挙期間中、世論をある方向に誘導しようとするインフルエンサーは、誰かがその動きを追跡しなければならない。こうした動きに目を光らせている自主的な団体はすでに存在しており、オックスフォード大学の「コンピュータによるプロパガンダ」チーム、二〇一七年に設立された「民主主義保護同盟」はその好例だ。後者は、オンライン上の世論操作を含め、民主主義への攻撃に対する逆襲を目的にしている。

ソーシャルメディアのプラットフォームも、サイトの監視にはこれまでになく責任を取るようになったが、こうした監視機関とも連携し、可能ならデータや情報、世論操作の技術の特定法といった専門知識を共有したうえで、該当者を公表したほうがいいだろう。

＊ 解決すべき難問が山ほどある。ソーシャルメディアへの支出について、候補者の自己申告をどうやって証明するかだ（小規模なプラットフォームの場合、広告取扱高を正確に集計するシステムが整備されていないのが普通）。さらに大きな問題は、選挙期間中、第三者組織（いわゆる〝無党派〟の選挙キャンペーンとして知られる）によって使われた膨大な量にのぼる少額な支出を、どのように査定して、規制していけばよいのかという問題だ。五〇〇ポンドを超える金銭、物品、不動産、役務の提供は、選挙委員会への報告が義務づけられているものの、その額を正確に算出するのは容易ではない。たとえば、一〇〇万人のフォロワーと記事をシェアするインフルエンサーは、どのぐらいの価値があると算定すればいいのだろうか。

平等性の維持と社会的投資を共有する活力に満ちた中流階級

⑪富の分配を広める

二〇世紀になり、比較的安定した強固な中流階級が出現したのは偶然の産物ではない。経済的な変化をなんとかするなら、前世紀と同じレベルの想像力と介入が現在でも必要だ。そのためには、政府がこれまで以上に経済に介入する必要があるのは、まずまちがいないだろう。

ひとつの方法として、現行の政策と労働意欲を刺激する雇用、とくに気候変動関連やバイオ、健康部門に関連する先端産業への大規模な投資がある。また、ロンドンの市交通局や地方の交通局も（ウーバーのような）人気アプリや製品を独自に開発し、ベンチャーキャピタルに利益が流れていくのではなく、労働者の手元に残るように図る。

政府は将来の経済に関する基盤作り（もしくはその基準作り）のために、さらに投資をすべきだ。たとえば、無人走行車のネットワークは、公的に所有され、公的に運営（少なくとも公的に調整）されるべき公益事業である。そうすることで、自動車会社が公正に競合できるプラットフォームが整えられる。

⑫ロボット税の導入

税収を高める新しい課税法が必要になってくるだろう。土地、資源、炭素税などについて、いずれも再検証しなくてはならないのは、この先、企業と所得税の減少が見込まれるからである。新たな課税法のひとつは、労働者に取って代わったロボットに対して税を課すという方法だ。

たとえば、年収二万五〇〇〇ポンドの工場労働者に置きかわったロボットの場合、だいたいのところ人間の場合と同率の税金を課す。算出法やコンプライアンスを得るなどの点で実現は容易ではないが、ロボットへの課税は現実として、資本に対する新たな徴税法にほかならない。ロボットが設置されている管区の便益の向上も図れ、〝本社を海外〟に置く企業から法人税を徴収するよりも容易な方法だ。

⑬新しいセーフティーネットの整備

変化する経済に歩調を合わせ、富の分配と社会保障の新しい形についても模索する必要が出てくるだろう。ベーシックインカムの導入が支持されているが、私としては経済的にも社会的にもうまく機能しないと考えている。しかし、さらに一歩進めた実験を試みることは無駄ではない。

未来の雇用の鍵は、どうやら継続的な学習と技能の開発になりそうなのは、新技術の採用に合わせ、労働市場もまたたちどころに変化していく公算が高いからである。学校や大学で、引退するまで通用する技術を身につけて卒業するなど、もはや期待できそうにもない。それだけに、導入するのであれば「職業訓練完全所得保証《ユニバーサル・トレーニング・インカム》」だ。特定の産業分野で雇用を継続する者は、国に対して、給付金の支給を求める権利を有するという制度だ。* 将来必要とされる技術を習得するため、専門的な能力開発を継続する者を応援する手段である。

⑭労働者の権利の保障

雇用状況が不安定になるほど、中流階級の労働者は、労働者としての確固たる権利と妥当な賃金をますます当てにするようになる。また、ギグエコノミーの会社で働く者や、一段と〝不安定な〟分野で働く者の場合、最低賃金と疾病手当はなきに等しいので、救済制度を強化しなくてはならない。

そして、利益の分配が労働者ではなく、不均衡なほど資本家寄りである傾向を正す必要がある。対策のひとつとして、ギグエコノミーの構成員——ドライバー、デリバリーサービスの配達員、便利屋——の組合結成の敷居を政府の指導によって引き下げるという案がある。たとえば、ギグエコノミーの運営企業に対し、労働者が組織化できる環境を整備するよう政府が勧告するのだ。

競争力のある経済と自立した市民社会

⑮ネット上の公正な取引

私たちユーザーが現代の超独占を生み、そして、無料のデジタルサービス（や安いタクシー）に熱中し続けることで、いまもこの独占の強化を推し進めている。彼らのアプリやサービスを受けてきた人々も、超独占を生んだなにがしかの責任を負っている。安価なサービス、あるいは無料のサービスには、見えない対価が伴うことに私たちは気がつかなくてはならない。それは個人の権利であるかどうかではなく、こうした企業で働く従業員であっても変わらない。

私たちに求められているのは、オンラインをめぐる選択を通じ、この独占を打破することなのである。規模は劣るが、倫理をわきまえた企業はたくさんあり、それぞれソーシャルメディアや検索エンジン、配車サービスやホームレンタルなどのサービスを提供している。データは倫理的に使用されているのか、利益は労働者にも公平に分

＊　教育と関連づけた別の試みとして、資金を提供するという案がある。たとえば、王立技芸協会は最近、五五歳未満の者全員に対し、一万ポンドの〝資金〟を一回に限り支給するという案を発表した。

配されているのか、ピアツーピア（P2P）の適正利用、オープンソースなどの点から、こうした企業を調べ、その決定に責任を負うのだ。

料金はこちらのほうが高くつき、使い勝手は劣るかもしれない。だが、これはそれだけの価値がある対価であると納得すべきだ。* そして、優れたジャーナリズムにも対価が伴うのを忘れてはならない。それだけに購読の継続や寄付を呼びかけたい。地方紙もそこに含まれるのは、地元紙こそ地方行政の説明責任を問う源泉であり、また次代を担うジャーナリストを育むトレーニングの場であるからだ。

⑯独占禁止への決意

現代の独占については、データや市場占有率、市場を越えた株式の所有などに基づき、概念の見直しを図らなくてはならない。価格や消費者利益では、もはや十分な根拠とはなりえないからだ。政府はこれまで以上に自信をもって反独占の事案に当たり、一人勝ちがはびこる新たな独占を阻み、企業の進出先の国ならではの独自の規制を整え、個人データが私物化されないよう、隙のないプライバシー対策を構築しなくてはならない。本書刊行から間もなく、ヨーロッパ全域で適用される「EU一般データ保護規則」（GDPR）はその好例で、効力を発揮してくれるはずだ** （訳註：本書の原書は二〇一八年四月刊行、GDPRは二〇一六年四月に採択、移行期を経た二〇一八年五月二五日から適用された）。

⑰安全な人工知能

人工知能を、勝者総取りの単独一社が所有し、運用するような私的なオペレーティングシステムにさせてはならない。とはいえ、強力な人工知能開発を目指す国際競争におくれは取れないし、とりわけ、非民主国家を優位に立たせてはならない。この分野の開発については後押しが必要とはいえ、同時に民主的な管理のもとに置き、人工知能を公益のために機能させ、乗っ取られたり、悪用されたりすることが絶対にないよう、厳格な規制を設けなくてはならないだろう。[2]

＊　たとえば、音楽の配信サービスはスポティファイ（Spotify）のかわりにバンドキャンプ（Bandcamp）、ウーバーで車を呼ぶかわりに地元のタクシー会社、アマゾンのかわりにエッツィ（Etsy）、グーグルではなくダックダックゴーなど。

＊＊「ＥＵ一般データ保護規則」（ＧＤＰＲ）は、ＥＵ域内に暮らす国民の個人データの保護を強化した規定だ。本規則では、たとえば個人情報を収集もしくは共有する場合、ユーザーからさらに明確な同意を取り付けるよう企業に命じている。域内の住民のデータを処理する海外企業は、例外なくこの規則に従わなければならない。ＥＵで採択されたデータ関連の規制としては、もっとも重要なものだ。

原子爆弾の開発者たちが自ら生み出したものの威力に気がつき、軍備の管理と原子力発電所の安全性に献身的に尽くしたように、人工知能の開発者もまた同様の責任を負うべきなのだ。人工知能の安全性に関する物理学者マックス・テグマークの研究は、この点に関する好例である。*

政府は国民の意思を実現する一方、国民に対する説明責任がある

⑱透明なリバイアサン

法執行機関の予算、権限、人員は、法と秩序を維持するため、今後数年間のうちに大幅に増大されることになるだろう。新たな波として〝デジタルポリス〟が採用されるようになるからだ。彼らは仮想空間の通りをパトロールし、ネット上で情報収集、捜査活動、科学捜査を行うため、これまでにない新たな態勢を生み出していく。しかし、市民の自由を擁護する団体がこれを不安視するのは当然だ。

それだけに、警察活動の権限が増強された場合には、それに応じた、監視と市民の安全性の保障についても強化されなければならない。イギリスでは身元調査をクリアしたイギリス国民なら、情報安全保障委員会（ＩＳＣ）や警察苦情処理独立委員会（ＩＰＣＣ）に参加することができる。

⑲ビットコインの規制

ビットコインとブロックチェーンの技術には胸は躍るが、いまのところ野放しで運営されている。できるなら、仮想通貨は金融当局が法整備を整えたほうがいい（とりわけ、資金を調達するイニシャル・コイン・オファリング（ＩＯＣ）や交換所だ。仮想通貨はここで発行されて取引されている）。現在、マネーロンダリングやテロ活動の資金源を対象としているのと同じ規制のもとで管理すべきものである。

さらに可能であれば、仮想通貨交換とウォレットサービスに対し、不審な取引に関する報告義務を課し、一定の金額を超えるユーザーの取引には適正評価《デュー・デリジェンス》を義務づけたりする必要があるだろう。[3] また税務当局も、仮想通貨資産の税金支払いと執行に関する課税ガイダンスを早急に更新しなくてはならない。

こうした手続きの検証には、増税案をかならず組み込む必要がある。ブロックチェーンのデータベースなら、増税ははるかにスムーズに、しかもより効率的に行える可能性を秘めている。イングランド銀行も〝公的な〟仮想通貨を独自に発行すべきだ。

＊　マックス・テグマークは人工知能の優れた研究家であるとともに、現在の科学技術の挑戦を調査する非営利団体「生命の未来研究所」（ＦＬＩ）の共同創設者でもある。ＦＬＩの重要な活動のひとつに、人類に有益な人工知能の確実な実現を目指した世界規模の研究プログラムがある。この研究に対してはイーロン・マスクが多大な寄付を行っている。

決済が迅速かつ効率よく行えるので、企業もさかんに利用するようになるうえに、規則に基づいた方法で取引を行わせることができる。

⑳未来の政府

本書に書かれているテクノロジーは、目下民主主義を蝕みつつあるが、テクノロジーはまた、政府機能のあり方の点で、劇的な改善というバラ色の好機をもたらす。私たちに求められているのは思い切った改善計画であり、その実施を通じて民主主義に最新の情報を加えていくことができる。

まず、データや人工知能を使うことで、政府の各機関はより的確で効率的な決定をくだせるようになる。スマートメーターを取り付ければ、市民にとっては光熱費の節約になり、生活保護の支給金も本当に必要としている対象に使うようになるだろう。警察官も適正な配置が可能だ。もちろん、これらはいずれも住民の意見を広く取り込み《パブリック・インボルブメント》、人々との議論を踏まえた、倫理的な判断のもとに実施されるという条件がつく。

同様に、優れた人工知能を公益のために使えば、保健研究や支出の意思決定、諜報や国家戦略などにも計り知れない恩恵を生み出してくれるだろう。それ以上に、ブロックチェーンのような技術を使うことで、政府に説明責任を求める国民の手段は、劇的に向上していくはずだ。

そして、中央・地方を問わず行政は、ブロックチェーンを利用し、民主主義の機能改善が図れる方法を模索すべきである。選挙になるとそのつど、政府に対して予算の充実を求める請願を行うことに私たちは慣れてしまった。そんな慣例もきれいさっぱりなくなる。ブロックチェーンによる会計や契約になれば、請願と請願の実際の成果の照合にひと役買ってくれる。つまり、税金と税金の使い途を市民が検証する場合、その方法ががらりと変わってしまうのだ。

イギリス政府は、ブロックチェーンによる個人識別番号制度の導入で、政府の権限が過剰に強化されることなく、国民のデータセキュリティーや効率性――土地登記、健康記録、パスポートなど――の改善が図れるのかどうか調査してみるべきだろう。[4] また、国民に関係してくる政治上の意思決定ということでは、胸躍る新しい方法はたくさんある。たとえば、機密保護か確保されたネットによる投票だ。しかし、この投票方式の採用については、十分な検討が必要とされる。容易になったあまり、毎週なんらかのテーマで投票になれば、これはあまりいいアイデアとは言いがたい。

以上、これまでの話をまとめると、二〇の提案がいずれも示唆するのは、テクノロジーから政治をどのように守るのかということに尽きるだろう。テクノロジーの急速な変化によって、私たちの力は高まり、自由にもなったし、豊かにもなれたが、これはテクノロジーが力強い民主主義システムの支配下にある場合に限られる。このシステムは正統性のほかに、権力を行使できる力を備えているが、同時に国民と公益に対する説明責任を負っているのだ。

だが、民主政治が強大なテクノロジーを取り込み、それを公益に役立つように方向づけることができたとしても、スマートフォンやバーチャルリアリティーのヘッドセットで溢れかえる現在では、民主主義に何ができるのかなど、すぐに忘れられてしまうかもしれない。

一九六九年七月、人類初の月面到着の成功は、政府の科学者、政府の研究、民間の基金のおかげだと、アメリカの民間部門は取り憑かれたようにカラーテレビで広告を流していた。それからわずか三カ月後、政府の出資による研究チームによって、カリフォルニア大学ロサンジェルス分校に置かれたシグマ7というホストコンピュータから、スタンフォード研究所のSDS940というホストコンピュータにメッセージが送信された。

彼らはコンピュータの情報共有の研究を行っていたが、世間の注目を浴びることはほとんどなかった。そしてこの送信は、二台のコンピュータがネットを介して行ったはじめての通信となる。こうして、世界初のコンピュータネットワーク「アーパネット」（ARPANET）が誕生した。

それから一〇年、いくつかの調整を経て、政府によるこの調査プロジェクトは新たな名称で呼ばれることになる——それがインターネットだった。

謝辞

最初にエブリーのチームに心からの感謝を申し上げたい。本書をここまでご覧いただけるのも、彼らのプロ意識と才能、今回の仕事に対する信頼のおかげだ。担当編集者のアンドリュー・グッドフェローには、計り知れない形で本書に磨きをかけてもらった。クレア・ブロック、ミシェル・ワーナー、ジョアンナ・ベネット、クラリッサ・パピ、キャロリーナ・バトラーらとはみな、楽しんで仕事をごいっしょすることができた。原稿整理を担当していただいたニック・ハンフリー、校正担当のキャサリン・エイルズにも感謝を申し上げる。いつものように、私の版権代理人のキャロライン・ミッチェルと版権エージェンシー、PFDのすばらしい皆さんには格別なお礼を申し上げる。これまで本を書き上げることができたのは彼らのおかげだ。

デモスの同僚全員には本当にご迷惑をおかけした。長い不在にもかかわらず、我慢し続けてくれた(とくにカール、アレックス、ジョシュに)。原稿を読んでもらい、貴重なご意見を聞かせていただいた専門家や友人、家族にお礼を申し上げる。AKJ、ジヨン・バードウェル、トム・チャットフィールド、ボブ・グレイフィンガー、アラン・ローカー、ポーリー・マッケンジー、マーチン・ムーア、リック・ミューア、サイモン・パーカー、ジャック・ランプリング、ジェレミー・レフィン、レオ・サンズ、トム・タウンゼント、アレックス・ウィットクロフト。

そして、熱意に溢れた作家の皆さんに。早い時期に原稿を見せ合うことで、原稿を格段によくすることができる。すばらしいリサーチャーにも恵まれ、その仕事ぶりは私の仕事さえしのぐほどだった。クリストファー・ランバンこと、クリスに本当に心からのお礼を申し上げる。アレスにも感謝の意を捧げたい。彼女にも大いに助けられた。

本書で紹介されている何回かのインタビューは、ＢＢＣ Ｔｗｏで放送したシリーズ「シリコンバレーの秘密」の一環として実施された。インタビューに応じていただいた方々に感謝するとともに、いっしょに働くことができたすばらしいチームの面々、アマール、ジャック、ジェイミー（お二人いる）、ケリアナ、マイク、サム、セブ、トリスタンにもお礼を申し上げたい。

最後にカトリンへ。彼女がいなければ、本書はまだこうして陽の目を見ることなく、私の心のなかでくすぶり続けていたはずだ。最初から最後まで、彼女はいつも私を支え続けてくれた。

訳者あとがき

本書は、イギリスのシンクタンク「デモス」のディレクター、ジェイミー・バートレットの *The People vs Tech: How the internet is killing democracy (and how we save it)* を全訳したものである。原題を直訳すれば、『「国民」対「テクノロジー」：インターネットはどうやって民主主義の息の根をとめるのか（そして、いかにして民主主義を救い出すのか）』となる。原書は二〇一八年四月一九日、ペンギン・ランダムハウス系列のイーバリー・プレスから刊行された。

著者のジェイミー・バートレットは「デモス」でソーシャルメディア分析センターのディレクターとして働くかたわら、ジャーナリストとしても活動を行い、「スペクテイター」誌のネットニュースに寄稿したり、BBCなどに出演したりしている。邦訳は本書が二冊目で、二〇一五年には『闇《ダーク》ネットの住人たち：デジタル裏世界の内幕』（CCCメディアハウス）が刊行されている。また、闇ネットについては、TEDスピーチで本人が報告している様子を閲覧することもできる（その後、二〇一九年に『ラディカルズ：世界を塗り替える〈過激な人たち〉』（双葉社）を刊行している）。

さて、本書で論評されているのは、脆弱《ぜいじゃく》な政治システムである民主主義が、デジタル革命のもとでどのような脅威にさらされているのかという問題だ。人間を自由にすると思われたインターネット。ユートピアを夢みて迎えたミレニアムだったが、デジタル・テクノロジーによって人々の生活は一変した。それは恩恵と同時に、アルゴリズムの壁の向こう側にいるシリコンバレーの夢想家や広告屋、ベンチャーキャピタルといったひと握りの人間に、あまりにも多くのものを差し出す結果を招いてしまった。

すでに、そこかしこに「リトルブラザー」が現れつつある。独占されたテクノロジーによって、民主主義を保持してきた壁は徐々に蝕《むしば》まれている。格差がますます拡大し、中流階級がなし崩し的に姿を消している。主権と市民社会が衰え、国民は批判能力とともに自由意志さえ失いつつあると本書では指摘されている。そして、テクノロジーを足がかりに、経済・政治・文化でも〝独占〟は着実に進んでいるのが現状だ。

猛々しい資本主義のもと、これまでにも独占は繰り返されてきたが、今回の独占が過去の例と異なるのは、国民がものを言おうにも、その発言の場であるプラットフォームが独占企業によって支配されている点だ。技術を持ち、プラットフォームを持つ者が圧倒的な独り勝ちを果たすのがミレニアムの独占なのである。「ヨハネの黙示録の四騎士」とたとえられるＧＡＦＡ（グーグル、アップル、フェイスブック、アマゾン）についてはいまさら触れるまでもないだろう。

技術的特異点《シンギュラリティ》のように、実はモラルにも特異点が存在しているとバートレットは説いている。この地点に達すると、人間はモラルと政治をめぐる判断を人工知能に委ねてしまうという。批判と判断能力が衰えてしまえば、何もかもコンピュータに任せてしまったほうが楽だし、確実でもあるからだ。そして、技術的特異点がそうであるように、モラル・シンギュラリティもまた、いったんその地点に到達してしまえばもはや後戻りはできない。現状のままでは、民主主義はまちがいなく衰退する。

本来はたがいに相容れない、水と油の関係にある民主主義とテクノロジー。そもそも、民主主義はテクノロジーを想定して制度設計されていない。バートレット自身、当初はテクノロジーによる民主主義の支援を夢みていた。勤務先のデモスでは、二〇一五年のイギリス総選挙に向けて投票アプリの開発にも携わった。だが、いま本人は真逆の考えを抱いている。こうしたアプリで短期的な便宜は得られても、それは将来にわたる人間の判断能力を蝕む犠牲を伴うと固く信じるようになった。だから、衆愚政治を招くとして、デジタル投票による国民投票にも疑問の目を向けている。

モラル・シンギュラリティは技術的特異点に先立って発生する。指数関数的に進化するテクノロジーに対し、手遅れになる前に対処していかなくてはならない。そのためには、民主主義を機能させる六つの柱を堅持せよと本書では説かれている。六本の柱とは、①行動的な市民、②民主主義の文化の共有、③自由な選挙の維持、④平等性の確保、⑤競争経済と市民の自由、⑥政府に対する信頼――いずれも極めて原則的な提言だが、これらの原理・原則がどれほど破綻しているのかが第1章から第6章の各章で描かれている。いずれも単なる論に留まらず、具体的な事例が交えて描かれているので、興味をもって読んでいただけるのではないだろうか。

原書刊行の一カ月前、イギリスの選挙コンサルティング企業ケンブリッジ・アナリティカの元社員クリストファー・ワイリーは、同社が五〇〇〇万人のフェイスブックユーザーの個人データを吸い上げ、二〇一六年のアメリカ大統領選挙に利用したことを告発すると、さらにイギリスのEU離脱派の宣伝活動にも加担していた事実を暴露した。四月四日、当のフェイスブックはケンブリッジ・アナリティカによって最大八七〇〇万人分のデータが不適切に共有されたと発表、一〇日にはマーク・ザッカーバーグが米上院の公聴会に召喚された。

デジタルプライバシーの流用については、「自由な選挙の維持」を論じた本書の第3章に詳しい。トランプに勝利をもたらした「プロジェクト・アラモ」が拠点としていたサンアントニオを訪れたバートレットは、その直後にケンブリッジ・アナリティカの最高経営責任者にインタビューを行っている。ケンブリッジ・アナリティカのみならず、グーグルやフェイスブックが企業としてトランプの選挙キャンペーンにどうかかわっていたのかについても触れられている。イギリスの「タイムズ」紙は、原書の刊行に合わせ、「これ以上ない格好のタイミング」という書評を載せていた。

余談ながら、ケンブリッジ・アナリティカは告発から一カ月半後の五月二日に破産手続きを申請したことを発表した。事業の継続が困難になったことが理由である。さらに親会社の戦略的コミュニケーション研究所（SCL）も破産の手続きを開始した。この報せを受け、本書にも登場するジャーナリストのキャロル・カドウォーラダーは、「肝に銘じなくてはならない。SCLとケンブリッジ・アナリティカは偽情報の専門家だ。両社は実際に何を閉鎖して、なぜ閉鎖しようとしているのか」とツイートした（両社の出資者であるロバート・マーサーと、ケンブリッジ・アナリティカの役員を務めていたスティーブ・バノンの二〇一六年大統領選の活動については、拙訳『バノン 悪魔の取引：トランプを大統領にした男の危険な野望』（草思社）に詳しい。データマイニングだけでなく、メディア操作を含め、反ヒラリー・クリントンのキャンペーンが実は数年越しの取り組みだったことがわかる）。

フェイクニュースやロシアの米大統領選介入疑惑など、フェイスブックをめぐる問題は少なくない。ユーザデータの流出に際し、アップルの最高経営責任者ティム・クックも、「フェイスブックの収入モデルは個人のプライバシーを侵害している」と批判していた。フェイスブックの株価は急落を続け、時価総額で一二〇〇億ドルをこのとき失っていた。もっとも、その後は順調に株価を戻し、七月二五日午後四時には終値で過去最高の二一七・五〇ドルまで伸ばしたが、さらなる衝撃に見舞われたのはそれから二時間後のことだった。時間外取引でフェイスブックの株価は一七六・二六ドルにまで一挙に下落、時価総額で一一九〇億ドル（一三兆二〇〇〇億円）が一瞬にして吹き飛んでしまう。時価総額の一日の下げ幅としてはアメリカ史上過去最大の規模で、金額はクウェートの国内総生産（GDP）に匹敵した。

暴落の背景には、ユーザー数の伸びに以前の勢いがなくなったことへの懸念があった。順調に推移してきたデジタル広告への不信だ。アメリカとカナダのユーザー数が前四半期から伸びていないのは、フェイスブックが多くの問題を抱えていることから、ユーザーも大規模で影響力のあるプラットフォームを使うことに慎重になったからである。ザッカーバーグも、「今後はプライバシーとセキュリティー対策に重点的な投資を継続する。われわれにはユーザーの安全を確保する義務がある」として収益の悪化を表明していた。また、本書のエピローグにあるように、EU市場ではEU一般データ保護規則（GDPR）の影響は見逃せないとザッカーバーグも認めていた。

本書の第2章で、ソーシャルメディアは「自分たちは〝プラットフォーム〟というインフラであって、物申す〝パブリッシャー〟ではないと執拗に言い張る」が、「パブリッシャーのように振る舞い、また、そのように振る舞うよう規制がかけられるかもしれない。そうなれば、彼らもこのジレンマから公然と逃れることはできなくなる」と記された通りの展開である。フェイスブックのみならず、ツイッターも株価を下落させ、フェイクアカウントを大幅に削除した。

こうした現象は、ソーシャルメディアが単なるプラットフォームではなく、文字通りメディアとして社会的責任に対するコストを担う兆しなのだろうか。ソーシャルメディアのユーザーもまた、デジタル・テクノロジーに伴うプライバシーの脅威を自覚するようになったのか。二〇〇四年から二〇〇六年に創業したフェイスブック、ツイッター、ユーチューブの各社は、一五年目の時期を迎え、ある種の潮目を迎えているのかもしれない。

現在、世界一厳しいと言われるEU一般データ保護規則で、個人のプライバシーと尊厳を守ろうとするEU、その一方で、あくまでも徹底した自由を追求するアメリカのイノベーションの申し子たち。彼らを「カリフォルニアン・イデオロギー」の信奉者でリバタリアンとして見れば、あのスティーブ・ジョブズの見方も変わってくるかもしれない。独特の美的センスを持つクールな天才であると同時に、ジョブズもまた文字通りの革命を夢見ていたのではないのかと思えてくる。

アメリカ政府もまた、プロバイダーの免責を定めた通信品位法二三〇条の無力化には慎重だ。表現の自由と恣意的な規制の運用への懸念を表向きの理由にはしているが、本書にも書かれているように、そもそも大統領選にビッグデータを持ち込んだのは民主党のバラク・オバマである。党利党略を踏まえれば、ソーシャルメディアへの規制は共和・民主両党にとって得策ではないのが本音なのだろう。

本書を読み、ビットコインなどの仮想通貨も、反中央集権主義のクリプトアナーキストたちがそもそも夢みたシステムであると知った方もいるのではないだろうか。「世界の金融制度に不信を抱いていたナカモトは、ビットコインこそこのシステムを破壊に追いやる手段であると思い描いた。マネーサプライの鍵を握り、自分たちの都合に合わせて供給量を操作する銀行家と政府を、ナカモトは忌み嫌った」とあるように、サトシ・ナカモトが仮想通貨の論文を発表したのは、二〇〇八年のリーマン・ショックの直後だった。無能な中央政府や中央銀行が法定通貨を握り、通貨量を操作することへの怒りである。

いまのところ世界で流通している仮想通貨は一五〇〇種類以上、時価総額は三〇兆円規模に達した。二〇一〇年、アメリカ人技術者ラズロ・ヘニエイツがビットコインではじめてピザを買ってから八年、仮想とはいえさまざまな人間の利害が絡むビットコインに対し、すでに「ごく少数の人間が不釣り合いなほど大量のビットコインを所有している」とバートレットは疑義を呈している。分権的な脱中央ではなく、政府による民主的な管理が必要ではないかと説いている。

本書『操られる民主主義』は小部な一冊ではあるが、ビッグデータにマイクロターゲティング、人工知能、デジタル・プライバシーなど、民主主義とテクノロジーの関係を取り巻く現状を理解し、何が問題であるのかを見通すうえで格好の俯瞰図となるのではないだろうか。政府にしろ、企業にしろ、国民を支配し、消費者をコントロールしようとするのが本能である以上、データが悪用されるリスクはこれからも確実につきまとう。

エントリーシートの書類選考で、人工知能とマシンラーニングによる合否判定を導入した企業が日本でも増えた現在、デジタル・プライバシーはやはり揺るがせにはできない問題だ。本人のあずかり知らぬところで人工知能による低い評価がくだされ、低評価のまま下層に固定される「バーチャルスラム」がいよいよリアルになりつつある時代では、なおさらのことと思われる。

最後に、編集作業の面倒を見ていただいた草思社取締役編集部長の藤田博氏にお礼を申し上げます。

二〇一八年八月

訳者

文庫版のためのあとがき

本書『操られる民主主義――デジタル・テクノロジーはいかにして社会を破壊するか』の文庫化は、二〇二〇年十一月に実施されるアメリカ大統領選を踏まえて進められた。ご存じのように前回二〇一六年の大統領選では、ヒラリー・クリントンが一般投票でうわまわりながら、選挙人を多く獲得したトランプがねじれ現象の末に大統領に指名されている。異例ずくめの選挙だったが、有権者の心理操作による接戦州での僅差の勝利がトランプに当選をもたらしたのではないかと言われた。

トランプの政治宣伝活動「プロジェクト・アラモ」は、娘婿のジャレッド・クシュナーが仕切り、イギリスのデータ分析会社ケンブリッジ・アナリティカ（ＣＡ）が実務を手がけていた。「ケンブリッジ・アナリティカ」という社名はのちにトランプ政権の首席戦略官を務めるスティーブ・バノン（その後退任）によるもので、バノンは役員の一人としても同社の運営にかかわっていた（余談ながら、二〇二〇年八月二十日、司法省はメキシコ国境の壁建設費用をめぐる詐欺罪でバノンを逮捕・起訴した。

バノンは法廷で無罪を主張、保釈金五〇〇万ドルを支払って即日釈放され、今後、刑事裁判が進められる）。

CAはすでに破産したが、破綻のきっかけは元社員のクリストファー・ワイリーによる内部告発だった。昨年（二〇一九年）十月、ワイリーが書いた『マインドファック：世界を壊したケンブリッジ・アナリティカの内幕』（未邦訳：Mindf*ck: Inside Cambridge Analytica's Plot to Break the World／UK版）という本が刊行された。この本を読むとCAは米大統領選やイギリスのブレクジットだけでなく、ケニアやナイジェリアの選挙にもかかわっていた事実や投票行動の心理操作に用いられた手法を詳細に知ることができる。興味深いのはバノンもワイリーも「政治」と「ファッション」を同一視していた点である。政治もファッションも自己演出をめぐるニュアンスが問題であり、カルチャーとトレンドに支配されている。要は見た目が問題で、ファッションのトレンドが操作できるなら政治の流れにも同じ手法が使える。

ワイリーは、CAの最高経営責任者アレクサンダー・ニックスと衝突して大統領選前に退社したが、選挙後、バノンが首席戦略官に就任したと知って激しく動揺する。それと気づかないまま、自分が世界を変えていた現実にワイリーは立ちすくみ、自分が生きている世界がいかに欠陥だらけのシステムかという事実をまざまざと思い知らされたのだ。「僕たちのシステムは壊れている。法律は役に立たず、当局の監視官は無能で、政府は何が起きているのかわかっていない。そして、テクノロジーは僕たちの民主主義を蝕《むしば》みつつある」とワイリーは書いている。

CAが大統領選に関与していた事実が明るみに出ると、「民主主義を蝕みつつある」ビッグテックの当事者としてマーク・ザッカーバーグは議会に呼び出され、フェイスブックの個人情報の管理をめぐって証言を求められた。IT業界のかつての寵児はこのとき、独占禁止法上の問題を指摘される側の人間になっていた。とりわけ、巨大プラットフォーマーでもあるGAFAへの非難と批判はここ数年急速に高まりつつある。買収によってスタートアップの芽を摘み、寡占によってイノベーションを妨げ、その結果、アメリカ経済は停滞し、所得の格差はますます拡大して、この国の自由と民主主義をGAFAが毀損していると糾弾する者もいる。

「ネットワーク中立性」で知られるコロンビア大学ロースクール教授のティム・ウーは、こうした批判の急先鋒の一人だ。反トラスト法が専門のウーは、独占反対の立場からフェイスブックの解体を唱えている。その主張は二〇一八年刊行の『巨大企業の呪い：新金ピカの時代の反トラスト法』（未邦訳：THE CURSE of BIGNESS Antitrust in the New Gilded Age）に詳しい。同書によると、アメリカには戦前から反独占の伝統があり、市場が独占や寡占状態に陥ると政府は巨大企業の解体に乗り出して新市場を生み出し、新規参入と自由競争を担保してきた。二十世紀初頭のスタンダードオイルやモルガンの鉄道網事業の解体はその好例であり、アメリカ経済はこうした創造的破壊を繰り返して発展を遂げてきたのだ。

一九八〇年代から九〇年代にかけ、アメリカ政府の反独占事業は当時のビッグテックに対しても行われた。ＩＢＭとＡＴ＆Ｔの二社である。メインフレームを専門にしていたＩＢＭは、この決定でハード部門とソフト部門が分離された。そして、ＩＢＭパソコンのソフトを手がけたのがマイクロソフトだった。開発されたＭＳ－ＤＯＳはその後、ウィンドウズとしてバージョンアップを繰り返していったのはご存じの通りである。

ＡＴ＆Ｔは当時世界最大の企業だったが、分割後は長距離交換部門だけの電話会社になって衰退していく。だが、解体によって巨大な電気通信《テレコム》市場が生み出される。スティーブ・ジョブズはこうして誕生した市場でアップルを立ち上げた。グーグルやフェイスブック、アマゾンもＡＴ＆Ｔの独占解体という素地が整えられていたことでイノベーションを生み出せたのである（『巨大企業の呪い』では日本の電信電話公社とＡＴ＆Ｔの分割が比較されている）。

一九九八年、ビル・クリントン政権下の司法省は、今度は巨大化しすぎたマイクロソフトを独占禁止法で提訴した。訴訟は二〇一一年まで続けられたが、巨大ＩＴ企業をめぐる独占禁止法の裁判としては最後となり、クリントンを継いだジョージ・Ｗ・

ブッシュ政権以降、買収によってＩＴ業界の寡占は急速に進んでいく。フェイスブックはインスタグラムとワッツアップを吸収、グーグルはユーチューブ、アマゾンはザッポスを吸収してさらに巨大化していった。ＧＡＦＡにとって買収とは、新たな技術を獲得するとともに、スタートアップが敵対する企業に成長する前に呑み込み、市場の独占を維持する手段にほかならない。また、買収のために莫大な金額が提示されるので、スタートアップにとっても吸収されることが最終目的となり、アメリカの伝統である起業家精神が損なわれていった。

かつてＩＢＭとＡＴ&Ｔの解体で誕生したＧＡＦＡが、今度はイノベーションを阻む壁となってアメリカ経済に停滞と格差の拡大をもたらし、自由経済と民主主義を蝕んでいる。だから、新自由主義を説くシカゴ学派のイデオロギーを見直し、ふたたび反独占の伝統に立ち返って、ビッグテックの解体を推し進めなければならないとウーは説いている。

こうした批判に対してザッカーバーグは、ビッグテックを分割すればユーザーはこれまでのようなサービスが享受できなくなり、プラットフォームの安全やプライバシーが守れなくなると反論する。なにより、中国の巨大ＩＴ企業に対抗できなくなると主張して譲らない。ＧＡＦＡに対して中国はＢＡＴＨ《バス》。バイドゥ（Baidu）、アリババ（Alibaba）、テンセント（Tencent）、ファーウェイ（Huawei）の総称であり、中国を代表するIT企業の四社である。『巨大企業の呪い』によると、世界の巨大ハイテク企業二〇社のうち九社は中国企業が占めているという。たしかに、IT技術の国際競争力は中国のような権威主義国家の強みを感じさせる分野である。

だが、巨大企業でなければ人工知能（ＡＩ）のような技術は開発できず、膨大な経営資源と技術資源をもつ企業でなければ、国策にそって技術開発を進める中国のテクノロジー企業に対抗できないと説くザッカーバーグは、「反トラスト法」を伝統としてきた国に対して独占企業を認めろと迫っているようなものである。

ウーはオバマ政権のもとで国家経済会議（ＮＥＣ）のスタッフとして競争政策を担当した。オバマは反トラスト法に果敢に取り組むと言っていたが、そのオバマのもとでも合併と寡占は進んだ。トランプはアマゾンをさかんに〝口撃〟したが、包括的税制改革法でビッグテックの財政基盤はむしろ大幅に強化されている。二〇一八年、アップルは民間企業として世界ではじめて時価総額一兆ドルを記録すると、わずか二年後の二〇年八月に二兆ドルを突破している。この時点でアメリカの時価総額ランキングの二位はアマゾン、三位はマイクロソフトでともに一兆六〇〇〇万ドル台、四位がアリババで、五位と六位にフェイスブックとグーグルの親会社アルファベットが続く。いずれもコロナ禍の勝ち組だと言えるだろう。

ビッグテックに勝ちをもたらしたコロナ禍は、同時に貧富の差と低所得者の不満をいっそう際立たせる契機となった。アフターコロナの時代、私たちの目の前に広がるのはこれまでとは異なる日常と言われるが、その日常世界はコロナが生み出した新しい世界ではなく、実は私たちが気づかないまま進んでいた変化が今回の災禍によって加速され、ドラスティックな形で姿を現した世界にほかならない。ウィルス対策をめぐり、民主主義と中国に代表される権威主義の対立はこれまで以上に鮮明になった。「新冷戦」と呼ばれる米中の地政学上の対立は、アメリカのWHO（世界保健機関）脱退という事態を招き、中国は中国で海洋進出をさらに活発化させ、香港国家安全維持法によってこの国の一国二制度は実質的に崩壊した。

情報公開と情報の信憑性をめぐる民主主義と権威主義の違いもまた、コロナ禍によってますます鮮明になった。権威主義国にとって情報公開は体制の転覆を招くものであり、プロパガンダと検閲がこうした国にはつきものだ。IT技術はアラブの春のときのような解放のツールではなく、サイバースペースを統制する手段でもある。中国、ロシア、イランなどの権威主義国家が発表するコロナ関連のデータが信用できず、感染者数や被害はさらに深刻だと考えられているのはそのせいなのだ。

一方、民主主義国のコロナ対応は各国さまざまで、正確な情報を発信して国民との信頼をよりどころにコロナ封じ込め策を講じた指導者がいれば、感染の危険性を否定して、権威主義的なポピュリズムで国民に応じた指導者もいた。そうしたなかにあって、ドイツのメルケル首相がテレビで語った危機対応のスピーチは、国難に直面した指導者のあるべき姿と国民との信頼関係を示す格好のケースになったのではないだろうか。

対策を誤った指導者は次の選挙で国民の審判をあおぐことになる。民主主義国において指導者が示す危機への対応のあり方は、指導者の真価を見定める試金石なのだ。民主主義も手入れを怠れば権威主義に堕していくのは言うまでもないが、選挙のためならなんでもありの「選挙権威主義」は民主主義国でも珍しくはない。改めて考えてみれば、共和党が送り込んできた二十一世紀の二名の大統領は、いずれも一般投票で敗れながら選挙人投票の勝利でホワイトハウス行きの切符を手に入れていた。

二〇二〇年九月

訳　者

10 Amanda Taub 'How Stable Are Democracies? "Warning Signs Are Flashing Red" ', www.nytimes.com, 29 November 2016.
同様の調査が多数実施され，きわめてよく似た結果が報告されている：Yascha Mounk 'Yes, people really are turning away from democracy', www.washingtonpost.com, 8 December 2016; R. S. Foa and Y. Mounk (2016), 'The democratic disconnect', Journal of Democracy, 27 (3), 5–17.

結論 ユートピアか、ディストピアか

1 Bruce Drake, '6 New Findings about Millennials', www. pewresearch.org, 7 March 2014.
2 David Runciman, 'How Democracy Ends' (a 2017 lecture).
3 Rachel Botsman, 'Big data meets Big Brother as China moves to rate its citizens', *Wired*, 21 October 2017.

エピローグ 民主主義を救う20のアイデア

1 Goodman et al., 'The new political campaigning'.
2 Keen, *How to Fix The Future*, p.32. 第 5 章原註 4 と同じ.
3 Robert Mendick, 'Treasury crackdown on Bitcoin over concerns it is used to launder money and dodge tax', www.telegraph.co.uk, 3 December 2017. Felicity Hannah, 'Bitcoin: Criminal, profitable, or bubble?', www.independent.co.uk, 11 December 2017.
4 For more on this, I recommend you read David Birch's excellent booklet, *Identity is the New Money*.

3　ティモシー・メイは「サイファーノミコン（Cyphernomicon）」で次のように説明していた.「Matthew Ghio の話から,〝おもちゃの数字〟を使って簡単な計算を思いついた. たとえば5と7という2つの数字を選ぶ. その積は35. それぞれの数字から1を引き, 1をプラスすると, (5 − 1) (7 − 1) + 1 = 21《ママ》となる. x が0から34までの任意数の字で, x = x21 mod 35 となる数学的関係がある. 21を素因数分解すると3と7. この2つの素数のうち, どちらかを秘密の鍵として, もうひとつと公開鍵とする. 公開鍵として3, 秘密鍵は7を選んだとしよう. 誰かが平文メッセージ m を c = m3 mod 35という式を使って暗号文 c を作成する. c の受信者は m = c7 mod35という秘密鍵を使ってこれを復号して m を読む. 数字が数百桁にも及べば（暗号ソフト「PGP」のように）, 秘密鍵を推測することはほとんど不可能に等しい」（私が (5 − 1) (7 − 1) + 1 = 21の計算は間違っているとメイに尋ねたところ,「サイファーノミコン」は原案にすぎず, これぞというときほど入念にチェックはしていないと答えていた）.

4　David Gerard の *Attack of the 50-Foot Blockchain*（CreateSpace, 2017）に記されているように, ニック・サボは法律を専攻しており, この問題に関しては, 他の者とは異なり, 極めて慎重な姿勢で臨んでいる.

5　Kelly Murnane, 'Ransomware as a Service Being Offered for $39 on the Dark Net', www.forbes.com, 15 July 2016.

6　第6章原註4の David Gerard, *Attack of the 50-Foot Blockchain* を参照. 同書にはこの問題に関する見事な議論が記されている.

7　Annie Nova, '"Wild west" days are over for cryptocurrencies, as IRS steps up enforcement', www.cnbc.com, 17 January 2018.

8　'A Simple Guide to Safely and Effectively Tumbling (Mixing) Bitcoin', http://darknetmarkets.org, 10 July 2015.
'Can the taxman identify owners of cryptocurrencies? www.nomoretax.eu, 7 September 2017.（リンク切れ）

9　アメリカ合衆国内国歳入庁（IRS）はコインベース（Coinbase）に対する調査を続行中で, 昨年大口の決済をした1万4000名に関する詳細な記録を提出するよう命じた. Robert Wood, 'Bitcoin Tax Troubles Get More Worrisome', www.forbes.com, 4 December 2017.

金提供を受けており（財団の大会議場は“エリック・シュミットの瞑想室”と呼ばれている），代表の Anne Marie Slaughter は「財団全体を窮地に陥れた」として Lynn を非難，財団から締め出したという．この件に関してグーグルは関与を否定している．

第6章　暗号が自由を守る？

1　ローマ帝国の時代から1970年代まで，暗号化と復号は〝ひとつの鍵〟で行われ，メッセージに鍵をかけるのもその鍵を解くのも同じコードが使われていた．計算能力が向上した現在，暗号化もずいぶん強化されたが，基本的な原理に変わりはなかった．第三者に知られることなくコミュニケーションを図る場合，送信者は受信者にコードも渡す必要があった．しかし，これでは問題は堂々めぐりだ．コードを渡す過程で鍵が漏れるかもしれないので，秘密がまちがいなく守られているのかどうか完全に信用することはできない．1976年，「公開鍵暗号」という暗号方式を使い，この問題を解決したのがマサチューセッツ工科大学（MIT）の数学者 Whitfield Diffie と Martin Hellman の 2 人だ．受信者と送信者は 2 つの“鍵”からなる独自の暗号システムを使うというものである．鍵はそれぞれ別だが，素数によって数学的に関連づけられている．使われている数学は複雑を極めるが，アイデアそのものは単純だ．受信者は自分の〝公開鍵〟を世界の全員と共有する．そして，送信者はこの鍵を使ってメッセージを無意味な羅列に暗号化するが，この暗号を解読できるのは受信者だけが持つ〝秘密の鍵〟に限られる．公開鍵は受信の秘密の鍵の素数の積から算出されており，その積から素因数分解で素数を逆に算出するのは，世界最強のスーパーコンピュータを使っても何兆年という時間がかかる．この方式は暗号作成の革命だった．受信者はセキュリティーを脅かされることなく公開鍵を広く公開することができる．しかし，秘密鍵は秘密のまま．複雑を極めた数学的処理で，メッセージは双方の鍵で暗号化はできるものの，解読できるのは秘密の鍵だけなのだ．これは「暗号分野において（略），ルネッサンス以来のもっとも革命的な発想だった」と暗号化の権威 David Kahn は述べた．

2　Roman Mars, ‘Barbed Wire’s Dark, Deadly History’, https://gizmodo.com, 25 March 2015.

っとも左右する存在になった．メディア——とくに規模に劣る地方紙——にはフェイスブックは頼みの綱で，同社のアルゴリズムの変更しだいでは消滅するところさえある．2017年10月，グアテマラとスロバキアのジャーナリストは，フェイスブックのニュースフィードの変更は，メディアの方針に劇的な変化をもたらすおそれがあるという懸念を表明した．フェイスブックはニュースフィードからメディアのニュースを排除する実験をすでに数カ国で実施しており，かわりに「発見《エクスプロア》フィード」というメニューを加えた．グアテマラのジャーナリストのなかには，この変更によってメディアへのアクセス数は一夜にして66パーセント減少したと語る者もいる．同じようにグーグルは，フェイクニュースがランキングから除外されるようにアルゴリズムを変更したといわれている．この変更で白人優越主義と戦うオルタ－ネットは大打撃を受け，アクセス数はひと晩で40パーセント減少した．

17　Steven Levy, 'Mark Zuckerberg on Facebook's Future, From Virtual Reality to Anonymity', *Wired*, 30 April 2014.

18　Andrew Wilson, 'The Ideas Industry', https://thinktheology.co.uk, 16 August 2017.

19　これらはすべて以下のサイトで閲覧できる．

www.techtransparencyproject.org. グーグル透明化プロジェクトによると，民間企業との合同研究や財政的支援のもとで，グーグルの経営や収益など，同社の企業方針に直接関連する330の研究が大学や研究機関，学生によって行われている．反トラスト法，プライバシー問題，データの機密保護，ネットの中立性，著作権などの研究である．以上はいずれもまぎれもない事実だ．そして，こうした研究の54パーセントはグーグルからの財政的支援を受けているか，グーグルが資金を提供する大学もしくは機関と提携して行われている．しかも，大多数の研究がグーグル寄りの立場から進められているのだ（研究報告は，グーグルの慣行に対する調査や重大な法的判断がくだされたタイミングに合わせて発表される場合が多い）．2017年８月，シンクタンク「ニューアメリカン財団」で調査チームを率いるBarry Lynnは，反競争的慣行でグーグルに対し莫大な罰金を科した欧州委員会の決定を讃えた．ただ，同財団は長年にわたりグーグルから2100万ドルの資

ture', *New York Times*, 17 May 2017. 収益報告書によれば, 5社（アマゾン, アップル, フェイスブック, アルファベット, マイクロソフト）は増加を続け, 2017年は6000億ドルで, その額はアメリカの連邦政府の予算にほぼ等しい.

10　アメリカの「権利章典」に「独占の制限」が盛り込まれることを強く望んだのがトーマス・ジェファーソンだった. しかし, ニューヨークの資本家階級を代表するアレクサンダー・ハミルトンはこれに反対, 最終的にハミルトン派の意見が通った. 26代大統領セオドア・ルーズベルトは1期目で, 1890年制定のシャーマン反トラスト法を適用している. この法律は独占企業を罰するもので, この法律の適用でロックフェラーのスタンダードオイルは分割に追い込まれた. ルーズベルトは, 強欲な独占企業は公益のもとで活動するように制限をかけることを強く望んでいた.「富と経済に強大な力をもつ者の最大の目的とは, 権力を維持しつつ, さらにその力を増大させることにある」とルーズベルトは案じていた.

Lanchester, 'You are the product'.

Frankin Foer, World Without Mind (Jonathan Cape, 2017), p.191.

11　同上. Foer, *World Without Mind*, p. 114

12　You find the petition on the www.change.org web page under 'Save Your Uber'.

13　The Uber Privacy Policy is available on their website. www.uber.com/

14　このサイトは http://web.archive.org に保管されている. さらに www.google.com の2012年1月18日のデータを参照.

15　Biz Carson, 'Airbnb just pulled out a clever trick to fight a proposed law in San Francisco', www.businessinsider.com, 7 October 2015.

Shane Hickey and Franki Cookney, 'Airbnb faces worldwide opposition. It plans a movement to rise up in its defence', *Observer*, 29 October 2016.

Heather Kelly, 'Airbnb wants to turn hosts into "grassroots" activists', https://edition.cnn.com, 4 November 2015.

16　2015年以降, フェイスブックはメディアサイトのアクセス数をも

4　Duncan Robinson, 'Google heads queue to lobby Brussels', *Financial Times*, 24 June 2015.

Tony Romm, 'Apple, Amazon and Google spent record sums to lobby Trump earlier this summer', https://www.vox.com/recode, 21 July 2017.

上記のデータは以下のサイトで閲覧できる.

www.techtransparencyproject.org. 2015年, マイクロソフトの政治献金は450万ポンド, これはシェルやエクソンモービルなど石油大手と等しい金額だ. グーグルの支出は2011年の60万ポンドから, 2015年には350万ポンドに増えている. さらにグーグルは, 2015年の上半期に29名の政府高官と面談を設けており, これはどの企業よりも多い. また, 2017年の政治献金は420万ドル, 2014年から2017年にかけて同社の献金額は240パーセントに増えている. 一方, フェイスブックの献金は2016年から翌17年にかけて倍増, 100万ユーロに増えた. また, 欧州委員会高官へのロビー活動の頻度の点でも, 両社とももっとも影響力を持つ上位10社にランクインしている. さらにグーグルは欧州委員会のほぼすべての委員と会っており, その分野は農業から人道支援にまで及んでいた. ウーバーの政治献金は, 当初は低額だったものの, 2015年以降, 7倍に増えている.

詳しくは Andrew Keen, *How to Fix the Future* (Atlantic, 2018), p.69を参照.

5　Hamza Shaban, 'Google for the first time outspent every other company to influence Washington in 2017', *Washington Post*, 23 January 2018.

6　Matt Burgess, 'Google's DeepMind trains AI to cut its energy bills by 40%', www.wired.com, 20 July 2016.

7　Synced, 'Tech Giants Are Gobbling Up AI Startups', https://medium.com, 4 January 2017. Matthew Lynley, 'Google confirms its acquisition of data science community Kaggle', https://techcrunch.com, 8 March 2017.

8　'Does Amazon Present an Anti-Trust problem?' *Financial Times* Alphachat Podcast, September 2017.

9　Farhad Manjoo, 'Google, not the government, is building the fu-

『ロボットの脅威』(日本経済新聞出版) の著者 Martin Ford は, この変化は今日明日ではなく, 今後10年前後のうちに起こると言っている.

6　*Stick Shift: Autonomous Vehicles, Driving Jobs, and the Future of Work*, March 2017, Centre for Global Policy Solutions.

7　Mark Fahey, 'Driverless cars will kill the most jobs in select US states', www.cnbc.com, 2 September 2016.

8　'Real wages have been falling for longest period for at least 50 years, ONS says', *Guardian*, 31 January 2014.

'The World's 8 Richest Men Are Now as Wealthy as Half the World's Population', https://fortune.com, 16 January 2017.

9　David Madland, 'Growth and the Middle Class' (Spring 2011), *Democracy Journal*, 20.

10　Richard Wilkinson & Kate Pickett, *The Spirit Level* (Penguin, 2009). 邦訳『平等社会 : 経済成長に代わる, 次の目標』(酒井泰介訳・東洋経済新報社・2010年)

11　Wilkinson & Pickett, *The Spirit Level*, pp.272-273.

12　Fukuyama, *Political Order and Political Decay*. 第 3 章原註24と同じ.

13　Nicholas Carr, *The Glass Cage* (Bodley Head, 2015).

第5章　独占される世界

1　Douglas Rushkoff はなかでも, その点をよく認識している一人で, 近著 *Throwing Rocks at the Google Bus* (Penguin, 2016) で, 当時の発言について謝罪を試みようとしている.

2　Hal Varian はグーグルのチーフ・エコノミスト就任以前に *Information Rules* (Harvard Business Review Press, 1998) を刊行しており, 同書のなかで「正のフィードバックは強みをますます強め, そして弱みをますます弱めるという極端な結果を導く」とこの点について見事に要約している. 邦訳『「ネットワーク経済」の法則』(千本倖生監訳・宮本喜一訳・IDG コミュニケーションズ・1999年)

3　この数字は Nielsen SoundScan による. 引用元は前出の Douglas Rushkoff が書いた *Throwing Rocks at the Google Bus* .

39 Stelter, 第 3 章原註36と同じ.
40 Esquire Editors, 第 3 章原註35と同じ.
41 'How Facebook ads helped elect Trump' October 06 2017, www.cbsnews.com, 6 October 2017.
42 Steven Bertoni, 'Exclusive Interview: How Jared Kushner Won Trump The White House', www.forbes.com, 22 November 2016.
43 Matea Gold and Frances Stead Sellers, 第 3 章原註27と同じ.
44 Richard Hofstadter, 'The Paranoid Style in American Politics', https://harpers.org, November 1964.

第４章　加速する断絶社会

1 Frank Levy & Richard Murnane, *The New Division of Labour* (Princeton, 2004).

2 脳の神経回路網に相当するディープラーニングの「ニューラルネットワーク」は, 複雑で容易に理解できるものではない. そして, ディープラーニングに関するもうひとつの考え方は, データが入力されると, その法則を機械が独自に特定するというものだ. たとえば画像認識において, 機械は示された犬の画像を処理することで, 犬としての特徴が画像のどの部分に現れているのかを抽出し, これは犬だと判定する. だが, 機械が何を根拠にしてこのようなルールを編み出したのかよくわからない場合が往々にして起こるのだ. ディープラーニングにおける「解釈性の問題」として知られる現象だ.

3 引用元は Robert Peston, *WTF* (Hodder & Stoughton, 2017), p.215. 18世紀, アダム・スミスもこの点に気づいていた.『国富論』でスミスは, 機械を使用することで「1人の人間が多人数の仕事をこなせるようになり」, 機械によって生産性や利益は跳ね上がると予言していた. その結果, 所有者はさらに多くの人間を雇い入れ, 工場を増やそうとするので, 雇用に対する需要を喚起することになる. Georg Graetz と Guy Michaels の調査では, 1996年から2012年にかけ, 先進諸国では製造業の雇用が悪化したが, ロボット工学がさかんな国では, ほかの国よりも急激な悪化は見られなかったことが判明している.

4 'Automation and anxiety', *The Economist*, 25 June 2016.

5 未来学者で「ビジネスブック・オブ・ザ・イヤー」を受賞した

mystery "letter" – and Brexit's online guru', www. theguardian.com, 25 November 2017.

26 Tom Hamburger, 'Cruz campaign credits psychological data and analytics for its rising success', www.washingtonpost.com, 13 December 2015.

27 Matea Gold and Frances Stead Sellers, 'After working for Trump's campaign, British data firm eyes new U.S. government contracts', www.washingtonpost.com, 17 February 2017.

28 Carole Cadwalladr, 'I made Steve Bannon's psychological warfare tool', *Observer,* 18 March 2018.

29 Nina Burleigh, 第 3 章原註20と同じ.

30 Lucy Handley, 'Personalized TV commercials are coming to a screen near you; US marketers to spend $3 billion on targeted ads', www.cnbc.com, 15 August 2017.

31 E. Goodman, S. Labo, M. Moore and D. Tambini, 第 3 章原註20と同じ.

32 Vyacheslav Poonski, 'How artificial intelligence silently took over democracy', www.weforum.org, 9 August 2017.

33 Jonathan Albright, 'Who Hacked the Election? Ad Tech did. Through "Fake News," Identity Resolution and Hyper-Personalization', https://medium.com/tow-center/, 31 July 2017.

34 Nicholas Thompson and Fred Vogelstein, 'Inside the two years that shook Facebook – and the world', *Wired*, 12 February 2018.
'How Facebook ads helped elect Trump', www. cbsnews.com, 6 October 2017.

35 Esquire Editors, 'The Untold Stories of Election Day 2016', www. esquire.com, 6 November 2017.

36 Brian Stelter, 'In their own words: The story of covering Election Night 2016', https://edition.cnn.com/business, 5 January 2017.

37 Ben Schreckinger, 'Inside Donald Trump's Election Night War Room', www.gq.com, 7 November 2017.

38 Gregory Krieg, 'The day that changed everything: Election 2016, as it happened', https://edition.cnn.com, 8 November 2017.

16 Jim Waterson, 'Here's How Labour Ran An Under-The-Radar Dark Ads Campaign During The General Election', www.buzzfeed.com, 6 June 2017.

17 同上.

18 Heather Stewart, 'Labour takes to the streets and social media to reach voters', www.theguardian.com, 21 April 2017.

19 引用元はTaplin, *Move Fast and Break Things*. 第2章原註8と同じ.

20 E. Goodman, S. Labo, M. Moore and D. Tambini, (2017), 'The new political campaigning', *LSE Media Policy Project Series*.

もちろん, これはフェイスブックご自慢のサービスだ. イギリス総選挙の激戦区で, フェイスブックユーザーの80パーセント以上に配信されたと同社は主張する.「フェイスブックのターゲティングツールを利用し,（保守党は）主要激戦区のユーザーの80.65パーセントに配信した. 党の動画の再生回数は35億回を記録, 配信した全広告の86.9パーセントは社会的コンテキストを得た——つまり, 友だちによってきわめて重要な承認を得ることができた.

Nina Burleigh, 'How Big Date Mines Personal Info to Craft Fake News and Manipulate Voters', www.newsweek.com, 6 August 2017.

231 The People Vs Tech

非常に有用性の高いフェイスブックのサービスが〝類似オーディエンス〟である. 広告主がすでに把握している支持者のリストを渡し, このリストの拡大強化をフェイスブックに依頼する. リストを基に支持者とよく似たユーザー集団を抽出したら, フェイスブックは改めて広告を配信する.

21 Helen Lewis, 'How Jeremy Corbyn won Facebook', www. newstatesman.com, 20 July 2016.

22 J. Baldwin-Philippi (2017), 'The myths of data-driven campaigning', *Political Communication*, 34 (4), 627-633.

23 Tamsin Shaw, 'Invisible Manipulators of Your Mind', *New York Review of Books*, 20 April 2017.

24 Francis Fukuyama, *Political Order and Political Decay*, (Profile, 2014).

25 Carole Cadwalladr, 'Vote Leave donations: the dark ads, the

http://mycampaigncoach.com/, 3 August 2017.
Issie Lapowsky, 'What did Cambridge Analytica Really do for Trump Campaign', www.wired.com, 26 October 2017.

6 Jody Avirgan, 'A History Of Data In American Politics (Part 1): William Jennings Bryan To Barack Obama', https://fivethirtyeight.com/, 14 January 2016.

7 Frederike Kaltheuner, 'Cambridge Analytica Explained: Data and Elections', https://medium.com/privacy-international, 13 April 2017.

8 Nick Allen, 'How Hillary Clinton's digital strategy helped lead to her election defeat', www.telegraph.co.uk, 9 January 2017.
Ashley Codianni, 'Inside Hillary Clinton's Digital Operation', https://edition.cnn.com, 25 August 2015.
Shane Goldmacher, 'Hillary Clinton's "Invisible Guiding Hand"', www.politico.com, 7 September 2016.

9 James Swift, 'Interview / Alexander Nix', www.contagious.com, 28 September 2016.

10 'With up to 5,000 data points on over 230 million American voters, we build your custom target audience, then use this crucial information to engage, persuade, and motivate them to act.' http://ca-political.com/, www.ca- advantage.com

11 Joshua Green and Sasha Issenberg, 第3章原註1と同じ.

12 Sue Halpern, 'How He Used Facebook to Win', *New York Review of Books*, 8 June 2017.

13 'How Facebook ads helped elect Trump', www.cbsnews.com, 6 October 2017.

14 Robert Peston, 'Politics is now a digital arms race, and Labour is winning', *Spectator*, 18 November 2017.

15 Carole Cadwalladr, 'British courts may unlock secrets of how Trump campaign profiled US voters', www. theguardian.com, 1 October 2017.
Data Protection Act 1998, http://www.legislation.gov.uk/ukpga/1998/29/contents

た.
15 B. Nyhan & J. Reifler (2010). 'When corrections fail: The persistence of political misperceptions', *Political Behavior*, 32 (2), 303–330.
16 Dolores Albarracin ほか, 'Debunking: A Meta-Analysis of the Psychological Efficacy of Messages Countering Misinformation, *Psychological Science*, 28 (11), 1531-1546.
17 Paul Lewis, 'Fiction is outperforming reality': how YouTube's algorithm distorts truth', *Guardian*, 2 February 2018.
18 Nicholas Confessore, 'For Whites Sensing Decline, Donald Trump Unleashes Words of Resistance', *New York Times*, 13 July 2016.
19 Southern Poverty Law Centre, 'Richard Bertrand Spencer', www.splcenter.org. Confessore, 'For Whites Sensing Decline'.
John Sides, 'Resentful white people propelled Trump to the White House – and he is rewarding their loyalty', *Washington Post*, 3 August 2017.
20 *Intimidation in Public Life*, Committee on Standards in Public Life, December 2017.

第3章　ビッグデータと大統領選

1 Joshua Green and Sasha Issenberg, 'Inside the Trump Bunker, With Days to Go', www.bloomberg.com, 17 October 2016.
2 Theresa Hong, 'Project Alamo – How I Crossed the Line in the Sand', https://medium.com/@alamocitychick, 29 March 2017.（アカウントは現在凍結）
3 Ian Schwartz, 'Trump Digital Director Brad Parscale Explains Data That Led To Victory on "Kelly File"', www. realclearpolitics.com, 16 November 2016.
Theresa Hong, 'How Trump's Digital Team Broke the Mold in 2016', http://mycampaigncoach.com/, 3 August 2017.
4 Hong, 'Project Alamo', 同上.
5 Hong, 'How Trump's Digital Team Broke the Mold in 2016',

6　Bruce Drake, 'Six new findings about Millennials' 7 March 2014, www.pewresearch.org. ミレニアル世代は親の世代に比べ，組織に対するこだわりが希薄で，政治的にはさらに独立独歩だが，個別化されたネットワークへの結びつきを深めている事実をこの調査は繰り返し明らかにしている．

7　Daniel Kahneman, *Thinking Fast and Slow* (Farrar Straus and Giroux, 2011). 邦訳『ファスト＆スロー』（村井章子訳・早川書房・2012年）

S. Messing, and S.J. Westwood, (2014). 'Selective exposure in the age of social media: Endorsements trump partisan source affiliation when selecting news online'. *Communication Research*, 41 (8), pp.1042–1063.

E., Bakshy, S. Messing, and L.A. Adamic, (2015), 'Exposure to ideologically diverse news and opinion on Facebook', *Science*, 348 (6239), pp.1130–1132

8　Jonathan Taplin, *Move Fast and Break Things* (Macmillan, 2017).

9　Lee Drutman, 'We need political parties. But their rabid partisanship could destroy American democracy', www. vox.com, 5 September 2017.

10　Joel Busher, 'Understanding the English Defence League: living on the front line of a 'clash of civilisations' 2 December 2017, www. blogs.lse.ac.uk.（リンク切れ）また *Responding to Populist Rhetoric: A Guide* (Counterpoint, 2015) を参照.

11　Joel Busher, *The Making of Anti-Muslim Protest: Grassroots Activism in the English Defence League* (Routledge, 2015).

12　Drutman, 'We need political parties'. 第２章原註９と同じ.

13　Kate Forrester, 'New Poll Reveals Generations Prepared To Sell Each Other Out Over Brexit, www.huffpost.com,12 April 2017.

14　Jonathan Freedland, 'Post-truth politicians such as Donald Trump and Boris Johnson are no joke', *Guardian*, 13 May 2016.

Miriam Valverde, 'Pants on Fire! Trump says Clinton would let 650 million people into the U.S', 31 October, 2016, www.politfact. com. 投票データは www.realclearpolitics.com の投票動向を参照し

15 Evgeny Morozov は *To Save Everything, Click Here* (Allen Lane 2013) でこの件について詳述している.
16 Angela Nagel, *Kill All Normies* (2017), Zero Books
17 'The outstanding truth about artificial intelligence supporting disaster relief', https://media.ifrc.org/ifrc; Franklin Wolfe, 28 November 2016;
Franklin Wolfe, 'How Artificial Intelligence Will Revolutionize the Energy Industry', www.harvard.edu, 28 August 2017.
Alex Brokaw, 'This startup uses machine learning and satellite imagery to predict crop yields', www.theverge.com, 4 August 2016.
Maria Araujo and Daniel Davila, 'Machine learning improves oil and gas monitoring', www. talkingiotinenergy.com, 9 June 2017. (リンク切れ)
18 Cathy O'Neil, *Weapons of Math Destruction* (Penguin Books, 2016). オニールは優れたブログを運営しており, そのなかでも同様な例が詳述されている. https://mathbabe.org detailing similar instances. 邦訳『あなたを支配し、社会を破壊する、AI・ビッグデータの罠』(久保尚子訳・インターシフト・2018年)

第2章 「部族」化する世界

1 Marshall McLuhan, *The Gutenberg Galaxy*: The Making of Typographic Man (1962). 邦訳『グーテンベルクの銀河系——活字人間の形成』(森常治訳・みすず書房・1986年)
2 Eric Norden 'The Playboy Interview: Marshall McLuhan', *Playboy*, March 1969.
3 James Madison, 'Federalist No. 10 – The Utility of the Union as a Safeguard Against Domestic Faction and Insurrection', 23 November 1787.
4 Thomas Hawk, 'How to unleash the wisdom of crowds', https://theconversation.com/au, 9 February 2016.
5 これについては以下の作家の著作を参照. Zeynep Tufekci,, Eli Pariser, Evgeny Morozov.「ポスト真実」については Matthew D'Ancona, James Ball, Evan Davies らの著作を参照.

原　註

第１章　新しき監視社会

1　Will Davies, *The Happiness Industry* (2015) は，こうした創生期の概要を見通すうえで最適の本だ．

2　John Lanchester 'You are the product', *London Review of Books*, 17 August 2017.

3　Elizabeth Stinson, 'Stop the Endless Scroll. Delete Social Media From Your Phone', www.wired.com, 10 ctober 2017.

4　Adam Alter, *Irresistible* (2017)

5　Matt Ritchtel, 'Are Teenagers Replacing Drugs With Smartphones?', *New York Times*, 13 March 2017.

6　Adam Alter, *Irresistible*. 第１章原註４と同じ．

7　Tristan Harris, 'How Technology is Hijacking Your Mind – from a Magician and Google Design Ethicist', https://thriveglobal.com, 18 May 2016.

8　Robert Gehl, 'A History of Like', https://thenewinquiry.com, 27 March 2013.

9　Kathy Chan, 'I like this', www.facebook.com, 10 February 2009.

10　Tom Huddleston Jr., 'Sean Parker Wonders What Facebook Is Doing to Our Children's Brains', https://fortune.com, 9 November 2017.

11　Natasha Singer, 'Mapping, and Sharing, the Consumer Genome', *New York Times*, 16 June 2012.

12　Michal Kosinski, David Stillwell, and Thore Graepel 'Private traits and attributes are predictable from digital records of human behaviour', April 2013 *PNAS*, 110 (15) 5802–5805.

13　Sam Levin, 'Facebook told advertisers it can identify teens feeling "insecure" and "worthless" ', *Guardian*, 1 May 2017.

14　Dave Birch, 'Where are the customer's bots?', https://medium.com, 30 December 2017.

＊本書は、二〇一八年に当社より刊行した著作を文庫化したものです。

草思社文庫

操られる民主主義
デジタル・テクノロジーは
いかにして社会を破壊するか

2020年10月 8 日　第 1 刷発行

著　者　ジェイミー・バートレット
訳　者　秋山 勝
発行者　藤田 博
発行所　株式会社 草思社
〒160-0022　東京都新宿区新宿 1-10-1
電話　03(4580)7680(編集)
　　　03(4580)7676(営業)
　　　http://www.soshisha.com/

本文組版　株式会社 キャップス
印刷所　中央精版印刷 株式会社
製本所　大口製本印刷 株式会社
本体表紙デザイン　間村俊一

ISBN978-4-7942-2474-3　Printed in Japan

草思社文庫既刊

若い読者のための第三のチンパンジー
人間という動物の進化と未来

ジャレド・ダイアモンド　R・ステフォフ＝編著　秋山　勝＝訳

『銃・病原菌・鉄』の著者の最初の著作を読みやすく凝縮。チンパンジーとわずかな遺伝子の差しかない「人間」について様々な角度から考察する。ダイアモンド博士の思想のエッセンスがこの一冊に！

銃・病原菌・鉄（上・下）

ジャレド・ダイアモンド　倉骨　彰＝訳

なぜ、アメリカ先住民は旧大陸を征服できなかったのか。現在の世界に広がる〝格差〟を生み出したのは何だったのか。人類の歴史に隠された壮大な謎を、最新科学による研究成果をもとに解き明かす。

文明崩壊（上・下）

ジャレド・ダイアモンド　楡井浩一＝訳

繁栄を極めた文明はなぜ消滅したのか。古代マヤ文明やイースター島、北米アナサジ文明などのケースを解析、社会発展と環境負荷との相関関係から「崩壊の法則」を導き出す。現代世界への警告の書。

草思社文庫既刊

ジャレド・ダイアモンド　長谷川寿一＝訳

人間の性はなぜ奇妙に進化したのか

まわりから隠れてセックスそのものを楽しむ――これって人間だけだった⁉　ヒトの性は動物と比べて実に奇妙である。動物の性と対比しながら、人間の奇妙なセクシャリティの進化を解き明かす、性の謎解き本。

遺伝子の川

リチャード・ドーキンス　垂水雄二＝訳

生き物という乗り物を乗り継いで、果てしなく自己複製を続ける遺伝子。その遺伝子の営みに導かれ、人類はどこへ向かうのか。『利己的な遺伝子』のドーキンスが自然淘汰とダーウィン主義の真髄に迫る。

リチャード・フォーティ　渡辺政隆＝訳

生命40億年全史（上・下）

地球は宇宙の塵から始まった。地獄釜のような地で塵から生命が生まれ、豊穣の海で進化を重ね、陸地に上がるまで――。40億年前の遙かなる地球の姿を大英自然史博物館の古生物学者が語り尽くす。

草思社文庫既刊

法医昆虫学者の事件簿

マディソン・リー・ゴフ　垂水雄二＝訳

虫たちは誰よりも早く殺人事件を嗅ぎつける。死体につく虫を採集する法医昆虫学者の捜査手法を殺人事件とともに語る。米国ドラマ「CSI」にも登場した脅威の捜査法。**『死体につく虫が犯人を告げる』改題**

死を悼む動物たち

バーバラ・J・キング　秋山　勝＝訳

死んだ子を離そうとしないイルカ、母親の死を追うように衰弱死したチンパンジーなど、死をめぐる動物たちの驚くべき行動が報告されている。さまざまな動物たちの行動の向こう側に見えてくるのは——。

タイムマシンのつくりかた

ポール・デイヴィス　林　一＝訳

時間とは何か、「いま」とは何か？　理論物理学者がアインシュタインからホーキングまでの現代物理学理論を駆使して「もっとも現実的なタイムマシンのつくりかた」を紹介。現代物理学の最先端がわかる一冊。

草思社文庫既刊

ダニエル・ヒリス　倉骨　彰＝訳
思考する機械コンピュータ

コンピュータは思考プロセスを加速・拡大し、われわれの想像力を飛躍的に高め、未知の世界にまで思考を広げてくれる。もっとも複雑な機械でありながら、その本質は驚くほど単純なコンピュータの可能性を解く。

ブライアン・クリスチャン　吉田晋治＝訳
機械より人間らしくなれるか？

AI（人工知能）が進化するにつれ、「人間にしかできないこと」が減っていく。AIは人間を超えるか？　チューリングテスト大会に人間代表として参加した著者が、AI時代の「人間らしさ」の意味を問う。

クリフォード・ストール　池央　耿＝訳
カッコウはコンピュータに卵を産む（上・下）

インターネットが地球を覆い始める黎明期、世界を驚かせたハッカー事件。ハッカーは、米国防総省のネットワークをかいくぐり、米国各地の軍事施設、CIAにまで手を伸ばしていた。スリリングな電脳追跡劇！

草思社文庫既刊

アレックス・ペントランド　小林啓倫＝訳
ソーシャル物理学
「良いアイデアはいかに広がるか」の新しい科学

SNSで投資家の利益が変わる、会議で全員が発言すると生産性が向上する、風邪のひきはじめは普段より活動的になる――人間行動のビッグデータから、組織や社会の改革を試みる〝新しい科学〟を解き明かす。

エレツ・エイデン／ジャン＝バティースト・ミシェル　阪本芳久＝訳
カルチャロミクス
文化をビッグデータで計測する

数百万冊、数世紀分の本に登場する任意の言葉の出現頻度を年ごとにプロットするシステム「グーグルNグラムビューワー」。この技術が歴史学や語学、文学などの人文科学にデータサイエンス革命をもたらす！

矢野和男
データの見えざる手
ウエアラブルセンサが明かす人間・組織・社会の法則

AI、センサ、ビッグデータを駆使した最先端の研究から仕事におけるコミュニケーションが果たす役割、幸福と生産性の関係などを解き明かす。「データの見えざる手」によって導き出される社会の豊かさとは？

草思社文庫既刊

ブッダの脳
心と脳を変え人生を変える実践的瞑想の科学
リック・ハンソン　リチャード・メンディウス　菅　靖彦＝訳

「仏教」と「脳科学」の統合による新しい瞑想法を専門家がくわしく解説。「心」のメカニズムの理解のうえで、怒りや不安などの感情をしずめ、平安で慈しみのある精神状態を生み出す実践的な方法を紹介する。

手の治癒力
山口　創

ふれる、なでる、さする——手の力で人はよみがえる。自分の体にふれ、他人とふれあうことが心身を健康へと導く。医療の原点である「手当て」の驚くべき有効性を最新の科学知見をもとに明らかにする。

絶望名人カフカ×希望名人ゲーテ
文豪の名言対決
頭木弘樹＝編訳

どこまでも前向きなゲーテと、どこまでも後ろ向きなカフカ、あなたの心に響くのは？　絶望から希望をつかみたい人、あるいは希望に少し疲れてしまった人に。『希望名人ゲーテと絶望名人カフカの対話』改題

平気でうそをつく人たち
虚偽と邪悪の心理学
M・スコット・ペック　森　英明＝訳

自分の非を絶対に認めず、自己正当化のためにうそをついて周囲を傷つける「邪悪な人」の心理とは？　個人から集団まで、人間の「悪」というものを科学的に究明したベストセラー作品。

良心をもたない人たち
マーサ・スタウト　木村博江＝訳

25人に1人いる〝良心をもたない人たち〟。彼らは一見魅力的で感じがいいが、平然と嘘をつき、同情を誘い、追いつめられると逆ギレする。身近にいるサイコパスをどう見抜き、対処するかを説く。

他人を支配したがる人たち
身近にいる「マニュピュレーター」の脅威
ジョージ・サイモン　秋山　勝＝訳

うわべはいい人のフリをして、相手を意のままに操ろうとする〝マニュピュレーター〟たち。その脅威と、彼らによる「心の暴力」から身を守る方法を臨床心理学者が教えます。『あなたの心を操る隣人たち』改題

草思社文庫既刊

戦争プロパガンダ10の法則

アンヌ・モレリ　永田千奈＝訳

「戦争を望んだのは彼らのほうだ。われわれは平和を愛する民である」——近代以降、紛争時に繰り返されてきたプロパガンダの実相を、ポンソンビー卿『戦時の嘘』を踏まえて検証する。現代人の必読書。

中国の産業スパイ網

世界の先進技術や軍事技術はこうして漁られている

ウィリアム・C・ハンナス他　玉置　悟＝訳

世界の各地に見えないかたちで忍び寄り、必要とする先進技術をあらゆる手段で入手して兵器や製品に変える。中国が国家ぐるみで進める恐るべきシステム。その実態を専門家チームが詳細に指摘した警告の書。

健康帝国ナチス

ロバート・N・プロクター　宮崎　尊＝訳

ガン・タバコ撲滅、アスベスト禁止等々、最先端のナチス医学がめざしたユートピア。それは優生学にもとづく純粋アーリア人国家の繁栄だった。ナチス政権下における医学と科学の進んだ恐るべき道を明かす。